岩　波　現　代　文　庫

文化としての科学／技術

村上陽一郎
Yoichiro Murakami

学術 431

岩波書店

まえがき

「日本の構造改革」という言葉は巷に満ちている。行政組織の改革は形式的にはまさに実現したところである。金融再編、教育改革、医療福祉の改革、ＩＴ革命、どこを取り上げてみても、掛け声は勇ましい。世紀の変わり目ということも、そうした「改革」ブームに拍車をかけているようなところがある。しかし、言うまでもなく、変わればよいというものではない。何を変え、何を残すか、そして何よりも先ず、何を目指すのか。その地道な議論ぬきでは、変革も画餅に過ぎない。

確かに、変わらなければならない必然性は日本社会のいたるところに露出している。むしろ現実は先へ進んでいて、社会の構造や制度的対応が、過去の慣性のなかで立ちすくんでいる、という状況が各所に見られる。

科学／技術についても事態は変わらない。科学と呼び、技術と言っても、多くの人々が、自分の経験で理解している範囲の概念枠で、問題を考え、問題を処理しようとする。それは現場で研究や開発に携わる人々でも同じである。現場が変化していても、その変化のなかで生きている限り、微分的な変化の過程は、自然なものとして受け入れられてしまって、多少の時間幅を与えればかなりドラスティックな変化が起こっているにもかかわらず、安定した恒常性という幻想のなかに埋没してしまう。

そうした状況への対応策の一つは、多少の長い時間的スパンのなかに、現実を置き直してみることだろう。その作業によってこそ、何が変わらなければならないか、何は変わってはいけないか、という点にも、明確な展望が拓けてくるはずだと考えている。そして、筆者の近来の問題意識は、多かれ少なかれ、そうした試みを積み重ねようとするところにある。

岩波書店で刊行された「岩波講座　科学／技術と人間」（全一一巻・別巻一、一九九九年）の編集に携わっているときも、あるいはそのなかに幾つかの論考を寄稿したときも、筆者の念頭にあったのは、そうした問題であり、課題であった。

幸い、それらの論考を軸にして一冊の書物を編む、という企画が実って、本書が実現することになった。ただし教育の問題を扱った最後の章は、本書のために書き下ろされたものである。全体として、筆者の問題意識は、比較的鮮明になっているという自負はある。ただ、一つ一つが独立した論稿として成立したために、その目的に必要な記述は個々に盛り込まれている。こうして一巻の書物としてまとめられると、それらの間に重複が生じてくる。この点に関しては読者の御理解と御寛恕をお願いするほかはない。なお講座論文を本書に集めるに当って最小限の加筆訂正を行っていることを付記する。

本書の実現に力を貸して下さった岩波書店編集部の佐藤妙子さんには、心からお礼を申し上げる。

二〇〇一年一月

村上陽一郎

目　次

I

ノーベル賞の功罪

はじめに

「科学者」という言葉で、人々はどんなイメージを描くだろうか。敗戦後、私が小学校高学年で見た、おそらく自覚的な記憶に残る最初の映画は、『キュリー夫人』だったが、そのなかでの夫人は、不撓不屈《ふとうふくつ》、自らの健康や幸福も犠牲にして、「真理」の発見に没頭した人間として描かれていた。手塚治虫の作品に登場する「お茶の水博士」も、真理の探求に加えて、もう一つ「人類の幸福」のために自分を犠牲にすることさえ厭わない人物として描かれた。お話の部類で、少年期の私に大きな影響を与えた宮澤賢治の著作のなかの、『グスコーブドリの伝記』でも、私の読んだ版では、物語の最後でブドリ(どちらかと言えば、彼の場合は「科学者」というよりは「技師」に近いかもしれないが)は、冷害を救うための方策の実行に我が身を殉ずる人物であった。

そこまで英雄的でない例もある。漱石の『三四郎』に登場する野々宮宗八が寺田寅彦をモデルにしていることは有名であるが、その野々宮は、ところどころに染みのある背広に頓着なく、穴倉のような実験室で「光線の圧力を試験」している。「此年の正月頃から取り掛つたが、装置が中々面倒なのでまだ思ふ様な結果が出て来ません。夏は比較的堪《こら》へ易いが、寒夜《かんや》になると、大変凌ぎにくい。外套を着て襟巻をしても冷たくて遣り切れない。……」とすましている。新学期（九月）に合わせて上京してきた三四郎が、ほとんど東京に着くなり訪ねた野々宮であり、しかもことのほか暑い日であったことが述べられているから、八月の末か九月初めのことである。つまり、この実験の準備は優に八か月は越えていることになる。その後の記述にもこういうのがある。「穴倉の底を根拠地として欣然とたゆまずに研究を専念に遣つてゐるから偉い。然し望遠鏡のなかの度盛がいくら動いたつて現実世界と交渉のないのは明らかである。野々宮君は生涯現実世界と接触する気がないのかもしれない。」ここでも科学者なるものは、世間や人並みとは没交渉で、ひたすら真理の探求に勤しむ人間という印象を持たされる。もっとも『三四郎』では、その野々宮でも、妹や美禰子などの女性陣との世間的やり取りや、フロックコートを着て運動会の計測掛りを務めて「得意そう」に見えたりするようにも描かれるのだが。

いずれにしても、現在でも一方に、このような形での「科学者」というイメージが牢乎《ろうこ》として存在している。古典的イメージ、古典的科学者像とでも言えばよいだろうか。

ところで、現代にはもう一方に、例えば『二重らせん』のなかで描かれている類いの科学者たちがいる。この書物は周知のように、DNAの二重らせん構造の発見者の一人とされるワトソン(James D. Watson 一九二八—)の自伝的な性格のものであるが、そこでの科学者たちは、ライヴァルを出し抜こうと詭計を巡らし、スパイを放ち、あるいは他人を陥れ、できるだけ、自分だけが高い業績に近づけるように図るような人物として登場する。私は、この書物を最初に読んだときに受けたショックを今でも忘れないが、そのショックは「二重」であった。というのは、一つには、私もその頃には、上に掲げたような「古典的科学者像」を抱いていて、この書物のなかの科学者たちの振舞いが、そのイメージから非常に遠いように思われたからであるが、もう一つは、当の著者のワトソンが、そうした振舞いを、何の当惑や恥ずかしさも見せず、当然のように、一種のゲーム感覚のごとき調子で書いていることであった。

もう一つの例、こんな話も聞こえてくる。一人の著名な(ノーベル賞を受賞した)科学者がAという研究機関からBという研究機関に、国も移しながら転職することになった。その科学者は、Aの自分の実験室にある実験資料などのすべてをBに持ち去ろうとした。Aでは、その実験を引き継ぐ研究者がいるので、資料を残していくように命じた。その科学者は、Aにおける最後の日に、残すべき実験試料に貼られたラベルをすべて剝がしたり、墨を塗ったりして、去った。かくして、Aにおいてその研究を引き継ぐはずの後継者は、それらの資料が何であるのか詳細がつかめず、破棄するよりほかはなかった、というのである。

カルロ・ルビアという物理学者の伝記を書いたガリー・トーブスはその著書の表題を『ノーベル・ドリームズ』としたが、「権謀術数と究極実験」という副題を与え、そして、その書を「一九八四年一二月一〇日、カルロ・ルビアはついにノーベル賞を手に入れた」という文章で始めている。まさしく、それがすべてを物語っているような内容の書物である。そして、それは、一人ルビアに限るわけではない。

このような科学者の振舞いが目立つようになったのは、分野で言っても、時代で言っても、まさしくワトソンのそれ辺りであるが、こうした現代科学者(と言っても、そのすべてではなかろうが)の実態と、その古典的なイメージの落差は、一般の社会のなかでは、極めて大きい。

本章の趣意は、二〇世紀とともに始まったノーベル賞という科学者に対する褒賞制度が、この落差とどのように関わるか、という点に、焦点を据えている。なお、ここでは自然科学の分野に限って論を進めることについても、最初に読者の了解を得ておきたい。

1　ノーベル賞の制定

すでに広く知られたことではあろうが、話の筋道上、ノーベル賞制定の経緯について、簡単に振り返っておくことから始めよう。

アルフレート・ノーベル（Alfred B. Nobel 一八三三―九六）、スウェーデンのストックホルム生まれの技師である。父親エマヌエル（Emanuel）は、勃興期の産業に従事した事業家で、初期には失敗の連続であったらしいが、一八四二年ロシアのペテルブルグに移住して次第に成功するようになり、機械や武器を扱う商会を経営した。アルフレートも父親とともにペテルブルグで、正式の学校には行かずに、家庭教師と独学で、工学的な知識などを積んだ。五〇年から二年間はヨーロッパ各地、アメリカにまで足を伸ばし、知識と経験を重ねた。時あたかもクリミア戦争（一八五三―五六年）もあって、父親の事業は盛んだった。しかし、戦争の終結とともに、事業は衰勢に向かい、父親は諦めて五八年には、ストックホルムに戻った。アルフレートはロシアに残ったが、この頃から、彼も父親も、爆薬としてのニトログリセリンの開発に取り組み始めた。

ニトログリセリンは、一八四六年にイタリアのトリノ工科専門学校の教授であったソブレーロ(Ascanio Sobrero 一八一二—八八)が初めて合成に成功した物質である。ソブレーロは、硝酸とグリセリンとを反応させて造ったこの物質一滴をビーカーで加熱したところ、激しい爆発を起こし、周囲の人々に傷を負わせた、と報告している。ソブレーロ自身は、この物質は敏感過ぎて使用価値がないと判断したようだが、少量で黒色火薬の一〇倍近い巨大な爆発力を示すこの物質は、鉱山技師の関心を呼び、岩盤の爆破などに少しずつ利用され始めていた。しかし、当然ながら、いつ爆発するかわからず、しかも黒色火薬と違って導火線で火を点じてもただ燃えるだけ、というこの厄介な物質は、使いこなすのが難しく、しばしば事故を起こし、その都度死傷者が出る、という状況にあった。ノーベル父子が武器を扱う事業に従事するものとして、この物質に強い関心を示したのは、まさにこの時期であった。

一八六三年にアルフレートはストックホルムの父親のもとに戻り、ニトログリセリンを確実に爆発させるために、黒色火薬を使う方法を発明し、六五年には、さらにそれを確実にするように雷酸水銀を使った起爆剤の開発に成功した。父子は特許を取り、ニトログリセリンを中心とする製造工場をストックホルム、ハンブルク、さらにはアメリカのニューヨークとサンフランシスコなど各地に次々に造って、本格的な事業化に乗り出した。

しかし、ノーベル社の製品は、貯蔵中にも、輸送中にも、しばしば事故を起こし、世間の指弾を浴びるようになった。アルフレートは、爆発力をコントロールするための工夫を重ね、一八六四年から試験的に行っていたダイナマイトの開発に全力を尽くした。ダイナマイトは、ニトログリセリンを珪藻土などに染み込ませた固体物質で、爆発力は二割減になるが、ニトログリセリンよりは遥かに扱い易く、安定していた。六七年に特許を取り、以後全世界に急速に普及し、これによってノーベル社は巨万の富を得た。アルフレートはさらに開発を続け、七五年にはゼリグナイト、そして、八七年に軍用の発射薬バリスタイトが相次いで開発された。これらは直接の売上ばかりでなく、総数三〇〇を超える特許から生まれる巨額の特許料としてノーベルを潤した。この間ノーベルはハンブルクに居を定めていたが、七三年からはパリに移り住んだ。しかしパリの空気は次第に彼に暖かくなくなった。彼の日々はペシミスティックになっていった。八八年に兄が死んだが、これを伝えたあるフランスの新聞が誤ってアルフレートの死亡記事を書いた。そこに「死の商人」という表現があったことが、間違えられたことよりも、彼の心を傷つけたと言われる。いたたまれなくなったアルフレートは、九一年にイタリアのサン・レモに移住した。そしてそこで九六年一二月一〇日脳溢血で亡くなった。晩年の彼は、心臓病に悩まされ、ニトログリセリンを常用していたという話も伝えられている。一二月一〇日は後にノーベル賞授賞式の日と定められることになる。

ノーベル自身には家族はなかった。その意味では、死を看取る者もなく、寂しい死であった。そして、彼には遺言があった。一八九三年の日付のある遺言書は、死後サン・レモの自宅で発見されたが、銀行に預託されていた九五年の遺言書が公開されて、前者の法的効力は無くなった。この正式の遺言書は、九六年六月に銀行に預託されたと考えられており、死の半年前に、すでに彼は死期を悟っていたかのようである。第一の遺言書でも、賞の設立の構想が描かれているが、まだ内容も金額も中途半端である。しかし、最終かつ正式の遺言状では、ロシアも含めてヨーロッパ諸国に散在する遺産の五パーセント強を残して、残りのすべてが賞の設立・運営に回されており、このため遺族から訴訟が起こされたりもした。また、新しい基金やそれを運営するための財団の設立という厄介な仕事は、これも遺言によって、仕事上の助手であったソールマンとリイエクヴィストという二人の人物が指定された。ここにノーベル賞が動き出したのである。

賞に関するノーベルの遺言は以下のようであった。基金の利子は、前年度に人類に最高の貢献をしたと考えられる人々に五等分して、毎年与えられる。第一は、物理学の領域で最も重大な発見もしくは発明をした人、第二には、化学の領域で最も重要な発見もしくは改良をした人、第三に、生理学・医学の領域で最も重要な発見をした人、第四に、文学において、理想主義的な性格の最も優れた創作を行った人、そして第五に、国家間の友好、軍備の廃止もしくは軍縮、平和会議の開催や推進などのために、最も優れた仕事をした人、これらの人々が、この基金が与える賞に値する人々、ということになる。

ちなみに、物理学賞と化学賞はスウェーデン科学アカデミー、生理学・医学賞はストックホルムにあるカロリンスカ研究所、文学賞はスウェーデンの学士院、平和賞はノルウェー国会が選出する五人委員会が、それぞれ責任を持つことが、これも遺言状のなかに規定されていた。

様々な紆余曲折はあったが、結局二〇世紀最初の年一九〇一年に第一回の授賞が行われたのであった。第一回の受賞者は、物理学賞がX線発見者のレントゲン(ドイツ)、化学賞は熱力学などに功績のあったファント・ホッフ(オランダ)、生理学・医学賞はジフテリア血清の開発者ベーリング(ドイツ)、そして文学賞は問題の多かった詩人シュリ＝プリュドム(フランス)、平和賞は国際赤十字運動のデュナン(スイス)と政治家で国際平和同盟を一八六八年に設立したパシー(フランス)であった。文学賞で「問題の多かった」と書いたのは、トルストイの受賞がほとんど決まっていたのに、土壇場で引っ繰り返ったという話が残っているからで、トルストイの「理想主義的」な文学作品は、誰の目にも妥当と思われたからでもある。総じてフランスに気を遣っていることがありありと見える授賞であると言えよう。

2　科学研究の制度化

いずれにしても、こうしてノーベル賞は出発した。このような国際的な褒賞制度がこの時期に成立したことは、決して偶然ではない。一九世紀になると、ヨーロッパでは、ようやく「科学者」と呼ばれる社会層が出現し、「科学」が一つの知的領域として認められるようになってきた。社会のなかにその存在が認められるに従って、社会制度もまたそれに見合うように作り上げられていくことになる。

第一に、科学者を意識した人間集団の成立がある。英語の〈scientist〉をはじめ、各国語で「科学者」に相当する言葉が造られるのは一八二〇年以降のことである(英語では一八四〇年)。当初、「科学者」は自分たちの存在意義を主張し、権利と社会的なプレゼンスを拡大するために、団結しようとした。ヨーロッパ中を集めても、さしたる数にはならなかったはずだが、一九世紀前半は、国ごとに、科学者およびその周辺の人々を集めた協会が生まれた。ドイツ語圏の「ドイツ自然探究者・医師協会」(GDNA)、イギリスの「イギリス科学振興協会」(BAAS)などが、その代表的なものである。

第二には、科学者のための教育制度の成立がある。上のような社会からの認知を得、また王室などから、それなりの経済的、精神的な支援を仰ごうとするこのような科学者の運動は、科学およびそれに携わる科学者という存在が、一九世紀前半には、未だ新興状態にあったことを如実に物語っている。伝統的に古くから知的職業として認められてきた医師、聖職者、法曹家とは違って、科学者を養成するための制度は存在していなかった。大学のなかに、理学部に相当する制度がヨーロッパで普及し始めるのは、一九世紀も後半になってからである。言い換えれば、ヨーロッパ社会は、この時期になって初めて、科学者という種族を社会の制度のなかで養成することの意味を認め始めたことになる。これに付随して、科学を専攻して大学を卒業した人々のための職業的ポストもまた追い追いに必要になってくる。一九世紀には、教師というポストを除けば、そのような職業機会は絶無と言ってよかった。政府の度量衡を司る標準局などが、辛うじてその機会だったと言えようか。当時勃興中の近代産業が新興の科学者に雇用機会を与えることなどはとても考えられもしなかった。

第三に、この一九世紀後半になると、科学者たちは、ようやく自分たちの専門によって、個別の共同体を創成するようになる。平たく言えば専門学会という制度が生まれてくる。上に述べた「協会」とは異なり、メンバーの数も少なく、文字通り専門を同じくする人々だけによってつくられる専門学会は、多くの場合自ら論文誌を発行して、学会に加入しているメンバーの研究成果を発表する機会を用意するようになった。また学会の直接の刊行でないような論文誌も、世に出現するようになった。今をときめく論文誌の雄『ネイチャー』も、この時期にチャールズ・ダーウィンらの肝煎りで誕生したものである。

念のために書いておくが、ここで起こっている変化は、極めて劇的なものである。一八五九年にチャールズ・ダーウィンは『種の起源』を刊行した。これは言うまでもなく書物の形で刊行されたものであった。一〇年強の間に六版まで重ねたこの書物は何万という読者を得た。これに対して、一九〇五年にアルバート・アインシュタインはその特殊相対性理論の最初の論考を「運動体の電気力学について」という表題の論文の形で、『アナーレン・デア・フュジーク』という論文誌に発表した。おそらくこの論文は、今でこそ歴史的な論文として、主として「科学史」研究者ならほとんど必ず一度は読むだろうが、発表されて数年間にまともに読んだ人の数は数十人にとどまったと推測される。

つまり、書物は不特定多数の一般の読者を対象に書かれるものであるが、論文は極く少数の特定の読者(専門家仲間――そして彼らさえなかなか読んではくれないからこそ、抜き刷りをつくってわざわざ手書きで献辞まで書いて、これと思う仲間には郵便で送り付けたりするのである)を対象にする。科学者とは、自らの「成果」を誰かに伝えようとするとき、念頭にあるのは一般の不特定多数の読者などでは一切なく、ただただ、自分の「専門家仲間」だけであるという、極めて特殊な種族なのである。

こうした点は、制度化された科学の姿を浮き彫りにする。科学とは、専門家仲間あるいは科学者共同体の内部のみで知識が生産され、流通し、蓄積され、消費される知的営みとして、差し当たり定義できることになる。「差し当たり」と書いたのは、ここ数十年、これとは異なった形の科学が生まれ、育っているからだが、そのことは、ここでは問わない。

一九世紀後半に起こっているこの変化を「劇的」と言う理由は、まさに、そうした特殊な知的営みとしての「科学」が成立し、またそのような特殊な種族としての科学者が誕生し、その地歩を築いたところにある。そして、このような「内部閉鎖性」は、彼らの研究成果の「評価」方法もしくは制度にも、強い影響を与えた。言うまでもなく、ノーベル賞は、研究成果の「評価」と直接結び付いている。

3　科学研究の評価

論文誌に研究成果を発表するという社会的習慣が定着するにつれて、当然ながら、そうした研究成果に対する「評価」が問題になる。最も基礎的なレヴェルで言えば、論文誌に送られてくるすべての論稿を掲載できるわけではない。そこで、掲載するべきものと、するべきでないものとの選別が必要になる。ここに「評価」が働かなければならない。

その場合の評価基準は、二つの理由で、完全に「科学者共同体」の「内部」評価という形式をとる。第一の理由はすでに述べた。研究成果の唯一の発表形態である「論文」の読者は、「専門家仲間」だけである。したがって、自動的にその評価も「専門家仲間」によって行われる以外にはない。第二の理由も、極く当然なものである。一九世紀の科学の制度化はまた「専門化」の歴史でもあったのだから、一つ一つの学問領域に携わる「専門家」と、そうでない人間との間の距離、あるいは乖離度は、常に増大し続けている。したがって、その領域で生産された知識について、その質を論じることのできる人間は、その領域の内部の人間、つまり専門家以外にはいないことになるからである。

こうした理由によって、科学の研究成果に対する評価は、完全に「内部評価」(内部世界では「ピア・レヴュー」〔peer review〕と呼ばれる)という形をとるようになった。

さらに、そうした評価を行う際の評価基準についても、独特の原理が成立した。それは英語の「サムシング・ニューイズム」(something new-ism)という言葉に象徴される原理である。上述のように、厳密に専門家だけによる共同体が整備され、その内部でのみ知識が生産され、蓄積され、流通し、消費されるようになると、それらの知識の外延がはっきり規定できるようになる。ある断片的な知識があったとすると、それが、ある専門家の共同体の「財産」の一部なのか、そうでないかが、明確に判断できることになる。急いで付け加えるが、その判断ができるのは、専門家に限られる。ある共同体の知識上の「財産」を「知識体」(a body of knowledge)と呼ぶことにすると、科学においては、特定の専門領域の知識体の範囲は厳密に決定されている、と言い換えてもよい。

このように考えると、科学研究という行為は、科学者が、専門家の共同体の所有になる知識体を築き上げていくことである、と規定することができる。したがって、研究成果の質とは、この知識体に「サムシング・ニュー」(何か新しいこと)を付け加えるかどうか、というところにかかるようになるのは、自然の成り行きである。

繰り返すが、知識体の隅から隅まで知悉しているのは、当の専門家の共同体の中心的な人々である。新しく生産された知識が、その知識体に「サムシング・ニュー」を付け加えるものであるかどうか、を判定することができるのも、その人々のみである。それゆえに、科学における評価は、基本的に、専門家仲間によってのみ行われ、かつ、「サムシング・ニューイズム」という原理に基づいて行われる。

「サムシング・ニュー」というのは、これまでに他人が生産することのなかったものを意味する。それが唯一の評価基準である以上、他人に先駆けて、サムシング・ニューに到達しようとする「競争」が生まれるのは当然である。もちろん、制度化が揺籃期にあるころには、研究者は、自分たちの知識体を築くのに専念しており、その段階では、生産される知識はどれも「サムシング・ニュー」であった。したがって「競争」というよりは「共働」の側面が強かった。しかし、一旦ある程度堅固な知識体が成立すると、そこには強く「評価」が働くようになり、研究者は自分の同僚が共働者であると同時に、競争者であることを意識するようになる。

そしてこの傾向は、褒賞制度の整備によって拍車がかけられることになった。その先駆けとなったのがノーベル賞であった。一九〇一年に最初の受賞者を生んだこの賞は、科学者(対象が科学者ばかりでないことはすでに述べたが)に対して設けられた国際的な褒賞制度としては最初のものだったと言ってよい。そして、この時期、つまり二〇世紀初頭には、科学の制度化は、その第一段階とでも言うべき状態にあったから、「サムシング・ニューイズム」も「ピア・レヴュー」も始まったばかりであった。そのような状況下には、科学者たちの姿勢は、未だ極端な「競争」的な形にはなっていなかったのである。それゆえ、ノーベル賞の受賞は、むしろそれが本来設定された理念に基づいて、つまり「良い仕事をした人に贈られる御褒美」として受け取られたし、また授賞理由として挙げられている事柄も、極端に狭い「専門性」のなかでの「サムシング・ニュー」というわけではなかった。さらにレントゲンの受賞が象徴するように、評価される業績の背後には、人類社会の福利に貢献している、という評価基準(つまり狭い知識領域での「サムシング・ニュー」以外の基準)が見え隠れしていると考えられる。

4　ノーベル賞の変質

しかし、時代が深まるにつれて、制度化の結果が顕著に現れるようになった。「サムシング・ニューイズム」は進行し、「業績」は狭い専門性のなかでの「新事実」、「新法則」あるいは「新物質」などの発見に絞り込まれる傾向がはっきりと現れてきた。さらに時代の深化は、ノーベル賞の権威なるものを高めることに成功した。そして権威の高まりは、ノーベル賞という御褒美が、研究という仕事を成し遂げた「結果」として待っているものではなく、研究という仕事を行うための最終的「目標」であるかのごとく研究者が考えるというような状況を生み出すようになった。

研究者は、自らの研究のテーマの選択や、そのなかでの焦点の当てどころ、あるいは採用すべき手法の選択などにも、ノーベル賞受賞の可能性を意識するような事態が生まれてきた。このことは、同時に研究における「共働」よりも「競争」の側面を露骨にさせ、またノーベル賞獲得「競争」という、それ自体が「競争」の根源となるような事態をさえ生み出した。

本章の冒頭で述べたように、いわゆるＤＮＡの二重らせん構造の発見者の一人ワトソンの『二重らせん』という書物は、その意味で極めて衝撃的であった。彼は一九六二年に生理学・医学賞を受賞した人物であるが、この自伝的な書物のなかでワトソンは、いかに自分たちの研究ティームが、ライヴァルを出し抜いたか、どのようにしてライヴァルたちを蹴落としたか、という点を、むしろ得意気に語っていることを、もう一度指摘しておきたい。そして、一九五〇年代に新しく現れた彼の分野、そして同じくこの分野において現れた新しいタイプの研究者に、ノーベル賞を巡る時代感覚の転換点を見たいと私は考えている。というよりも、ノーベル賞という褒賞制度が新しくそのような「恥」を知らない科学者を生み出したと言ってもよいだろう。こうした風潮は、ワトソンの領域だけでなく、他の多くの領域をも侵食しつつある。

もちろん、そのような事態の責任のすべてを、ノーベル賞自体に負わせることはできまい。受賞者の数で国威を誇ったり、卑下したりするような、政治絡みの世間の空気、あるいは、かつてはともかく、今日では、本来極く狭い専門領域のなかでの「サムシング・ニュー」を達成したに過ぎない研究者を、あたかも、当人の専門以外のあらゆる領域においても、高い識見を備えた人間であるかのように扱う社会の無定見、そして、高額の賞金とそれに伴う様々な経済的フリンジ・ベネフィット(例えば、一夜にして一〇〇倍以上にも跳ね上がる講演料は、それを提供してでも受賞者の名前を権威付けに利用しようとする世間のゆえか、それとも当然のようにそれを要求する受賞者の姿勢のゆえか、そしてアメリカでは彼らの提供する精子さえ高額で売買されるような厚顔無恥がまかり通っている)の誘惑、それらが研究者をスポイルしていることは明らかである。

当然ながら、こうした現象のほとんど(賞金額を除いて)は、ノーベル賞そのものに直接関係はない。しかし、ノーベル賞が、そのような社会の築き上げた虚像によりかかって成立し、それを利用もしてきたこと、あるいは少なくとも訂正する手段を講じてこなかったことは明白であろう。

ことの公平のために、付け加えるが、現代のノーベル賞受賞者のすべてが厚顔無恥であるわけではもちろんなく、また過去の授賞の歴史を振り返って、高い世評が生まれるような効果的な授賞が行われてきたことを否定したいのでもない。

多くの人々が指摘するように、少なくともノーベル賞の歴史の前半は、例外は無論あるにしても、おおむねノーベルが望んだような展開になっていたと言ってよいだろう。だからこそ、一般社会のなかに、国際的な規模で「虚像」が広がったとも考えられる。そして、優れた研究者を顕彰し、人々に夢と励ましを与えてきたことも、率直に認めよう。

またとくに、アメリカやソ連(当時)のような大国が提供する賞ではなかったことに、ノーベル賞の「成功」の鍵があったという指摘も、もっともなところがある。もし、米ソのような国が主催していたとすれば、受賞することが、より強く国際政治の力学のなかに組み込まれ、あるいは、それを恐れる人々の出現も、より多かったに違いないからである。歴史的に見れば、とくに一七世紀以後に軍事大国にのし上がったとは言え、二〇世紀においては、国際関係の中心には位置したことのないスウェーデンに本拠を置くからこそ、そうした政治性の影響を、全くとは言えないにしても、それなりに免れることもできた。

しかし、ここから先は私の個人的な意見になるが、現在のノーベル賞は、授賞の側の善意と準備のための努力を十分に認めてなお、すでに述べてきた理由から、残念ながら、功少なく罪多い、と映るのを如何ともし難いのである。

5　科学研究の変質

もう一つ科学研究の現代的特性に関して、触れておかねばならないことがある。それは、科学研究自身の変質である。一九世紀以降、科学の制度化のなかで、科学研究は専門家の共同体の内部に閉ざされた活動であると私は述べてきた。しかし、この特性は、現代社会のなかの科学研究の一部には、明らかに当てはまらない。研究者を研究に駆り立てる動機が、研究者自身の内部にあるのではなく、あるいは研究者の共同体の内部にあるのではなく、外部社会のなかに設定された「使命」を達成することにあるような研究が、現在増加しつつある。例えば、軍事、あるいは医療などのセクターが開発を望むテーマがあったとすると、研究者はそのテーマを達成することを請け負うという形で、研究が行われる。このような研究は、特定の専門家だけが参加しても達成できないような種類のものが多く、ほとんど必然的に、多領域の研究者たちが「協力」(cooperation)というよりは「共働」(collaboration)する形式になる。あるいはまた、研究に対する資金援助も、「出来高払い」とまではいかなくても、それに近い原則の下で行われる。研究の「成果」と考えられるものも、必ずしも「論文」にはならないこともあり得る。

こうして、新しいタイプの科学が生まれ、新しいタイプの科学者が増えつつある(この点については、第Ⅱ、Ⅲ章を参照されたい)。つまり、科学者と呼ばれる人々のなかにも、かつてノーベルが授賞の対象として思い描いていたような類いとはかなり掛け離れた性格の研究者が、次第に多く存在するようになってきている事実にも、私たちは注目しなければなるまい。

このような事実を考え合わせると、賞制定一二〇年を経た今日、ノーベル賞は、これまでに果たした役割を十分評価しつつ、しかし、少なくとも根本から考え直す好機にあると私は確信している。


参考文献（比較的入手し易い邦語文献のみ掲げる）

『科学朝日』編『ノーベル賞の光と陰』朝日選書、朝日新聞社、一九八七年。

矢野暢『ノーベル賞』中公新書、一九八八年。

ガリー・トーブス『ノーベル賞を獲った男』高橋真理子・溝江昌吾訳、朝日新聞社、一九八八年。

ニコラス・ウェイド『ノーベル賞の決闘』丸山工作・林泉訳、同時代ライブラリー、岩波書店、一九九二年。

丸山工作編『ノーベル賞ゲーム』同時代ライブラリー、岩波書店、一九九八年。

II

科学研究の様態の変化

1　問題のありか

われわれは「科学」という言葉を色々な意味で使っている。例えば大学では、戦後一般教養科目の分類に、人文科学、社会科学、自然科学という区分けをするようになった。この分類は、多かれ少なかれ、現在まで広範に利用されている。ここでは、「科学」という言葉は、ほとんど「学」あるいは「学問」と同義語のようである。

「科学」が英語やフランス語の〈science〉の訳語であるとすれば(この前提は歴史的に見ればおそらく正しい)、〈science〉はラテン語の〈scientia〉の派生語であって、本来、それが「知識全般」を指していたことを考えれば、「学」あるいは「学問」の同義語としての「科学」の使い方は、むしろ、本来的な使い方であると考えられなくもない。一九世紀に入って、英語でも〈science〉の用法に、現在の日本の「科学」の一般的用法に類似したものが現れたが、それでも未だ〈political science〉のように、「学」の意味にも使われた例がある。ドイツ語では、ラテン語の語源に忠実な訳語〈Wissenschaft〉を持っている。この言葉はもちろん「知識」、「学」を指している。

しかし、同時に一九世紀になると、英語の〈science〉も、現在の「科学／技術」などと言うときの「科学」が意味するような、特定の意味を持ち始めた。言い換えれば、「知識」(それはまた「知識を愛し、それを追求する」という意味での〈philosophy〉「哲学」と同義であった)のなかから、科学が分離し、独立し、自立することでもあった。つまり、一九世紀ヨーロッパにおいて、初めて、現在一般にわれわれが「科学」という言葉に乗せているような意味を持った、特別の知的営為が、社会のなかで、識別され、分節化されるようになった。

そして科学は、ほぼ二世紀近くの歴史を持つに至った。その二世紀の間にも、科学は全く同じものであったわけではない。科学という言葉で呼ばれるものが、どのような歴史的変遷を遂げて今日あるのか、という問いに答えようとするのが、本章の目的である。

2　科学の先駆

筆者は、こうした歴史を、前科学期(prehistory)、プロトタイプ期、ネオタイプ期に分けることを考えている。順を追って、説明してみよう。

多くの科学史研究者たちはあまり賛成しないだろうが、筆者は通常の意味での科学史のなかで、一八世紀までは「前科学」期と呼んで、科学に含めない。言い換えれば、コペルニクスはもちろん、ケプラー、ガリレオ、ニュートンらは科学者ではなく、科学に従事したとさえ考えていない。当時のヨーロッパ社会に科学という概念は存在しなかった、と考えている。この点については、筆者はすでに色々な形で、その主張を公にしてきているので、ここでは詳細には一切立ち入らない。ただ話の都合上必要な筋道だけを辿っておくことにする。

「前科学」期の知識追求の特徴の一つは、神学的な世界観を背景にしているという点である。なるほど、「前科学」期において、今日の科学が「正しい」と認めている知識や学識は多々ある。しかし、それらの知識や学識は、「前科学」期には例外なくキリスト教的な世界観との関連のなかで初めて成立するものと見なされていた。例をニュートンの万有引力にとろう。なるほど万有引力は今日の科学あるいは物理学のなかで「正しい」と認められている。しかし、ニュートンは、それを、遍在する神がこの宇宙に働きかけていることの、直接的な現れと理解していた。万有引力の根拠を問われて、苦し紛れに神を持ち出したのではなく、積極的に、それこそが神の遍在の一つの強力な証しとなると信じて、そう主張したように思われる。今日の科学界は、そういう考え方を受け入れないし、許さない。そこに今日の科学の自己規定の一部がある。明らかにニュートンの「学」は今日の科学の範囲を大きく逸脱していると言わなければならない。

この点の系として、知識追求の動機についても触れなければならない。この「前科学」期の知識追求は、最終的には、宇宙という被造世界を創造した神の、創造の神秘、あるいは秘密を解き明かすことを動機として行われた。「真理」とは、「神の創造の神秘」と同義語であった。コペルニクス、ケプラー、ニュートン、ガリレオ、デカルト、……。彼らの誰一人として、この動機によりかからなかった人物はいない。そして、学問の内容には、常に、その動機が反映されることが求められていた。

第二に、第一の論点とも絡むが、「前科学」期の「学」もしくは知識は、「科」学ではないという点を指摘しよう。一つの「専門の科」が厳密に決まっていて、それに固有の対象と方法論、あるいは固有の言語体系などが存在するのではなく、あらゆる知識が相互に関連し合い、有機的に結合し合っていた。再びニュートンを例にとれば、彼は、今で言えば、物理学、地質学、天文学、機械学、数学、錬金術と化学、経済学、考古学、聖書学、(狭い意味での)神学や哲学、などの研究を行ったが、それは彼が「万能の天才」だったからではなく、当時学問をする人は多かれ少なかれそうであるのが当然だからであった。言い換えれば「学問」というものが、そういう性格であったのである。そして、そうした知識の有機的体系化を最終的に可能にしていたのが、広い意味での神学であり哲学という概念であった。

一八世紀に起こった「聖俗革命」は、このような一二世紀以来のヨーロッパの学問の伝統を破壊した。啓蒙主義によって、学問や知識は、キリスト教から引き剝がされ、有機的体系の基盤であった(広い意味での)神学は否定された。

知識はばらばらになり、断片化された知識のなかから、意図的に、あるいは自然に、選択されて、凝縮して、一つ一つの「科」学が生まれ始めた。それが一八世紀末から一九世紀前半にかけてのヨーロッパで起こったことだった。

科学はかくして一九世紀に出現した。

3　プロトタイプの科学

一九世紀に成立した科学は、以上の点で、はっきりと「新しい」特徴を示した。第一に、キリスト教神学の世界観とは完全に縁を切ったことである。したがって、知識追求の動機からも、「神の創造の神秘」としての「真理」は抜け落ちて、ただの「真理」の探求が残ったのであった。

第二に、知識、学問は専門化した。個別領域(discipline)が明確に定まり、そのなかで論じるべきこととそうでないこととの間に、明瞭に線が引かれることになった。それは科学だけでなく、学問一般についてそうであった。だからこそ、この時期にヨーロッパの学問を摂取しようとした日本人にとって、ヨーロッパの学問は「科」学に見えたのであり、その訳語を案出したのだった。

しかし、とりわけ科学は、学問のなかでも、そうした一八―一九世紀的傾向を最も鮮明に掲げた領域であった。科学は、もはや神学と縁を切ったばかりか、あるいは神学抜きで自立し得ると主張するばかりか、神学や宗教を敵として扱った。多くの第一世代の科学者たちが、科学こそ宗教的迷妄を弾劾し、批判し、否定する先頭に立つものであることを、宣言し、実行した。

また彼らは率先して〈～ist〉たることを証明しようとした。英語の〈scientist〉という言葉が一八四〇年ころに造られたことは暗示的である。当初彼らは、専門を度外視して、科学者であれば誰でも集まろう、という組織をつくることから始めた。一九世紀に入って、第Ⅳ章でも述べるように、国家や地域を目安に、第一世代の科学者たちの仲間組織が次々に誕生した。ドイツ語圏で生まれたＧＤＮＡ(Gesellschaft Deutscher

Naturforscher und Ärzte)を皮切りに、イギリスのBAAS(British Association for Advancement of Science)やアメリカのAAAS(American Association for Advancement of Science)などが陸続と誕生した。ドイツ語の「科学者」は、今日では〈Naturwissenschaftler〉というのが普通であるが、一九世紀前半では、まだこの語が造られておらず、〈Naturforscher〉つまり「自然を探究する人」という語を当てていることにも注目しておきたい。

こうして専門を問わない科学者の最初の組織づくりが一段落すると、一九世紀の半ばころから、専門学会が創設されるようになった。地質学、動物学、植物学、物理学、数学などの「科」学の各領域に、今度は国家の壁を問わないような、専門家仲間の組織化が行われるようになった。一九世紀後半は、このようないわゆる科学の「制度化」が、最も活発に進められた時代と言うことができる。

そして、この制度化によって、科学のプロトタイプが定まったのである。その特徴を考えてみよう。最大の特性と筆者が考えるのは、「論文」という制度が固まったことである。チャールズ・ダーウィン(Ch. R. Darwin 一八〇九—八二)は『種の起源』(一八五九年)を書いて、つまり通常の書物という形式によって、自然選択説という自らの研究成果を公表した。アインシュタイン(A. Einstein 一八七九—一九五五)は「運動体の電気力学について」という論文を『アナーレン・デア・フュジーク』という論文誌に発表(一九〇五年)して、自らの学問的研究成果としての特殊相対性理論を公表した。この二つの年代に挟まれたほぼ半世紀という時間が、この制度化を明らかに示している。いったんこの制度が成立してしまうと、科学者の定義の一つは「論文を書く人々」となり、「論文を書かなくなった」科学者は「元科学者」ではあっても、実は科学者ではないことにさえなる。研究―成果の公表というパターン自体も含めて、一つの決定的な習慣と制度が出来上がるのである。

このことは、論文誌もしくは学術誌というものが整備されていく過程でもある。例えば今をときめく学術雑誌『ネイチャー』の創設が一八六九年であること、あるいは誕生する専門学会がそれぞれ固有の論文誌を発刊し始めること、などの事実によっても、それは裏付けられる。

これに伴って、いわゆる「レフェリー制度」もまた、科学の特徴の一つとなっていく。論文誌の立場からすれば、論文はただ載せればよいものではない。質の高い優れたものを載せ、誤りの多いもの、あるいは質の悪いものは排除する。通常の書物では、そうした選択の機能は、出版社の編集部が担うことになっている。編集者の眼力に任されていると言ってもよい。しかし、科学の場合に、知識が専門化すればするほど、研究内容やその成果を理解できる人々の数は減少する。その結果、研究成果の発表形式としての論文が、掲載に値するものかどうか、という判断を下せる人は、結局、当該の領域の専門家以外には存在しないことになる。そこで、「ピア・レヴュー」(peer review)という言い方が生まれた。そして、レフェリー制度は、この「ピア・レヴュー」の象徴のような形で、論文審査に取り込まれたのである。

現在では、この制度は、科学のみならず、社会科学や人文学の一部でも採用されているが、それは、そうした領域が科学に近づきたい、あるいはあやかりたい、という意向を持っていること、あるいはそれを助長するかのような行政の側の指導(レフェリー制度を取り入れていないような学問の領域や学術雑誌は、程度が低い、質が悪い、遅れている、というような明示的、暗示的評価による)があることの結果であって、必ずしも、内的必然性からではない。科学においても、ピア・レヴューを基礎とするレフェリー制度が、十分満足のいく制度である、と考えているわけではなく、他のあらゆる方法(例えば優れた個人に任せる、とか、集団の合議によるなど)に比べて、「最も害が少ない」という消極的な承認にとどまっているのが真相である。

4　プロトタイプ科学の特性

もう一度整理をしてみよう。プロトタイプの科学研究は、第一に科学者・研究者個人に内発する「真理探求心」(という言葉が「大き過ぎ」れば、「好奇心」でよい)に動機付けられて行われる。個人の好奇心を充足させ、満足させることが、研究を進める最大の動機であると同時に、最終の目標でもある。言わば「自己充足的」な行為が、科学研究である。したがって、共同研究はあり得るとしても、その規模も、可能性も小さい。ちなみにここで言うプロトタイプの科学研究者に対して与えられる御褒美として、今日では最高のものと評価されるノーベル賞が、一九〇一年から授賞を開始し、個人を対象にしたものであることを思い出しておこう。

第二には、研究の成果は、論文という形で公表されるが、その審査や評価は、専門家集団の内部での「ピア・レヴュー」を基礎にしている。ということは、そこで生産される知識は、専門家集団のなかだけで流通することを意味する。これが第三の特徴と言える。この特徴を「自己閉鎖性」と呼んでおきたい。何をどのように研究するか、ということの決定から始まって、研究の結果の処理まで、一切が、「専門家仲間」の内部で行われる。前述のアインシュタインの「運動体の電気力学について」という論文を、一九〇五年の刊行当時、一体何人の人間が読んだであろうか。恐らくまともに読んだ人は一〇人に満たなかったのではなかろうか。ダーウィンの『種の起源』が何万という読者を獲得したのとは、大きな違いである。しかも科学者は、自分の書く論文を多数の読者に読んで欲しいとは思っていないのが普通である。誤解があるといけないが、もちろん科学者とて、論文が読まれないでよいと思っているわけではない。しかし、読んで欲しいのは飽くまでも「専門家仲間」だけである。論文は、そもそも一般の読者を全く予想していない、より率直に言えば、相手にしていない。数から言えば本当に一握りの、好奇心を同じくする「仲間」(ピア)のところに、自分の研究成果が届けば、それで充分なのである。

したがって、研究という行為には、本来「褒賞」はない。あるとすれば「自己満足感」を除けば、「仲間の認知」だけが、それと言えるだろうか。「仲間の認知」の証拠は「エポニム」(eponym)と呼ばれる現象によって確認される。「エポニム」というのは、もともとは、土地や河川、湖沼などが、そこに住んでいた古い先祖の名前で呼ばれることを意味するものである。例えばイギリスのある地方を「ブリテン」という呼称で呼ぶのは、その地に住んでいたと言われる伝説上の人物の名前「ブリトン」に由来する。そうした現象を「エポニム」と言うが、ここでは、新しく発見された事実や法則、あるいは粒子などに、発見者の名前を冠することを言う。例えば湯川秀樹が存在を予言した中間子を「湯川粒子」と呼んだり、シュレーディンガーが定式化した量子力学の波動方程式を「シュレーディンガー方程式」と呼んだりすることである。そこに発見者の名前を付けることで、その研究の成果を永遠に記念する、それが重要な成果に対して「仲間」が敬意を表す方法となったのであり、それが研究者の「勲章」であった。

もっともその事情にも多少の変化が生じた。専門家の仲間が褒賞を設ける(例えば「××学会賞」のような)ようになったばかりでなく、先にも述べたように、ノーベル賞という褒賞制度が一九〇一年から稼働するようになった。これは、形式的には外部社会において褒賞が制度化されたことになるが、この場合でも、候補者のノミネーションから最終的な受賞者の決定までの経緯で主導権を握っているのは、「専門家仲間」つまり「ピア」であることには変わりがない。

本来「自己閉鎖性」を特性とするプロトタイプ科学のなかで、このノーベル賞という褒賞制度に似た性格を持つ、外部社会からの介入のチャネルが、研究支援制度である。二〇世紀に入ると、例えばアメリカのロックフェラー財団のように、科学研究に対して、資金を提供する団体が現れる。飽くまで個人の好奇心の充足を目的とした行為である科学研究は、もともと公的な資金援助を要請する根拠も薄弱である。したがって、多くの場合、第一世代や次の世代の科学者たちは、それが可能な人は自分の財産を注ぎ込んだし、また金持ちの好事家を説得してパトロンにしたり、あるいは大学で教えること(と言っても、一九世紀もかなり遅くなるまで、ヨーロッパの大学には、理学部、つまり科学を教える組織は存在しなかった)によって給料を貰いながら、あるいは、政府機関の度量衡標準局や特許局(アインシュタインが大学卒業後、ベルンの特許局に技師として勤務していたことを思い出そう)あるいは軍事施設などに勤務する傍ら、片手間に研究を行う、といった方法で、研究に従事していた。科学者と称する人々のためのポストなど、どこにもないのが実情だった。

しかし、ロックフェラー財団のような研究資金の支援プログラムは、こうした状況に対する一つの新しい解決策となった。このときの支援の理由付けは、「フィランスロピー」というに尽きた。つまり、それは芸術活動(オペラ、芝居、オーケストラ活動など)に対してなされる支援と全く同じだった。物好きか、個人の好奇心か、ともかく、何かを面白がってやっている人々がいるとき、それも人間活動の一つとして認めてやろう、そしてなにがしか援助してやろう、という理由付け以外のものではなかった。

一方、国家が政策として科学研究に介入する(資金援助であれ、研究推進であれ)という可能性はドイツ(あるいは維新後の日本)における例外を除いては、全く存在しなかったと言っても過言ではないのである。

ドイツにおける例外とは、建国まもない近代統一ドイツが、一八八七年という早い時期に、国家として設立した「帝国物理学工学研究所」(PTR Physikalisch-Technische Reichsanstalt)がそれである。この「研究機関」は当時としては珍しい幾つかの特徴を持っている。一つはすでに述べた国家の設立になるものであること、第二には、工学ないし技術が組み込まれていること、第三には、科学研究者に専用のポストを提供したこと、などがそれである。第一と第二の点は、多少関係がある。もともと、この機関は、当時フランスのイニシアティヴで行われていた、国際的な度量衡単位の標準化に対して、ドイツが巻き返しを図る、という国家的目的を背負っていた。そして、そのような標準化という問題は、実は、一九世紀後半から二〇世紀初頭にかけて各国が国内的、国際的に取り組まなければならなかった課題であり、大なり小なり、当時の国家がそうした国立機関を設けたことと平行している。ただ、どちらかと言えば、こうした課題は、プロトタイプの科学者の関心を惹くものではなく、官僚もしくは技術者にとって重大であった。したがって、このドイツの研究機関も、当時のアントレプレヌール(起業家)、シーメンス(兄弟のうち三人がそれぞれに著名だが、ここではWerner von Siemens〔一八一六―九二〕)の提言と援助によって、創設が可能になったものである。しかし、そうであるにもかかわらず、この機関は、他の国々に設けられた度量衡標準局とは異なっていた。それは物理学という科学のなかでも主要な研究領域の「研究」機関でもあったからである。

イギリスなどと違って、後進国ドイツでは、技術は科学とは全く異質のものと受け取られる傾向が少なかった。より後進国日本の場合には、それが見事に現れて、一八八六年に東京大学(帝国大学)は、工学部を持った世界で最初の総合大学になるのだが、その話は今は措こう。ドイツでは、一九世紀末に数学者クライン(Felix Klein 一八四九―一九二五)は、工学高等専門学校(TH Technische Hochschule)と大学の統合を図ろうとした(つまり、それより先に東京大学が実現したことを、追いかけようとした)ほどだった。これは、どちらの側(つまりTH、大学の双方)からも強い反対があって実現はしなかった。それにしても、技術に傾きがちなPTRという標準局的機関のなかに物理学の研究を目的にした「研究機関」が設置され、そこで科学研究に携わる研究者の専任ポストを設けたことは、画期的だった。

いずれにせよ、このようにして、時代が進むと、専門家の仲間たちの内部だけで自己完結するプロトタイプの科学に、多少外部社会との結び付きが見られるようになるが、それはプロトタイプの科学の変質というよりは、それを守り育てるために外部社会がつくり出した保護装置、あるいは推進装置であった。

5　ネオタイプの科学

しかし、このプロトタイプの科学の一部が、大きな変質を遂げる時期がやってくる。二〇世紀半ば近くのことである。念のために書いておかなければならないが、その変化・変質にもかかわらず、プロトタイプの科学もまた、今日まで残存し、それどころか、その性格をより鮮明にしている、という事実があることである。言い換えれば、今日の科学は、非常に先鋭化されたプロトタイプの科学と、変質した、したがって新しい科学(それを筆者は「ネオタイプ」と呼びたい)とが、共存している状況にある。その前提に立って、この記述を進めたい。ここで言う「変質」に関して、これまでにも、色々な指摘がなされ、それぞれの観点から名前が付けられてもきた。例えば「ビッグ・サイエンス」「産業化科学」あるいは「モード2の科学」などが、それぞれに部分的には当たるだろう。筆者は、そうした議論をすべて包括するような概念として「ネオタイプ」という言葉遣いを提案していることになる。

新しい性格の科学とは何か。その最も大きな特徴は、専門家仲間の内部にその営為が限定されていない、というところにあると言えるだろう。言い換えれば、「自己閉鎖性」を持たず、「自己完結的」でもない、外部社会に向かって開かれている科学ということになる。

その最初の劇的な例は、第二次世界大戦中のアメリカの核兵器開発計画だった。この経緯については第Ⅲ章で取り上げるが、原子核研究そのものは、典型的なプロトタイプの科学に属するもので、専門家の国際的グループがあり、その内部だけで知識は生産され、流通していた。そうした知識が、軍事的に高い利用価値がある、ということに気づいたのは、そして、そのことを外部社会に伝えたのは、歴史的な事実としては、科学者だったと言わざるを得ない。マンハッタン計画の成立史に登場するアインシュタイン、シラード(L. Szilard 一八九八―一九六四)らは、文字通り原子核研究の当事者であり、かつ、政治ないしは軍事という、科学者の仲間グループから見れば外部社会に対して、そこで流通している知識が利用できる(あるいは、より正確には、ナチスによって利用される)可能性を、繰り返し指摘したからである。

しかし、パターンとしては、科学者の専門家グループの外にある社会セクター（政治、軍事など）が、専門家グループの内部に閉鎖的に生産され流通していた知識を、「活用する」ことによって、自らの目的（この場合は大量殺戮兵器の開発・製造）を達成しようとする状況が、歴史上初めて本格的に出現したのであった。

もちろん、それ以前に、産業セクターのなかで科学研究の成果が利用されていたではないか、という反論があるかもしれない。確かに、原子核研究とマンハッタン計画との連携が始まる一九四〇年代よりも以前から、企業内研究所（inhouse laboratory）は多く存在していた。そして、そこに科学者のためのポストが設けられ、研究に携わる科学者のアウトプットを、企業が産業に利用するというパターンは出来上がっていた。しかし、それは、一般に思い込まれているほど古い話ではない。

第一に、一九世紀後半から二〇世紀初頭までの間に、近代産業の中心的な業種における代表的な企業の基礎はほぼ出来上がった。アメリカで言えば、鉄鋼業（USスティール）、電気産業（GE）、自動車産業（フォード）、化学産業（イーストマン・コダック）などの原型は、この時期に次々に出来上がり、創設者たち、つまりカーネギー（A. Carnegie 一八三五―一九一九）、エディソン（Th. A. Edison 一八四七―一九三一）、フォード（H. Ford 一八六三―一九四七）、あるいはイーストマン（G. Eastman 一八五四―一九三二）らに巨万の富をもたらしたが、彼らは科学の「か」の字も知らない、いわゆるアントレプレヌールであり、彼らが活躍していた時期の産業界は、科学者による研究を彼らの活動に活用しよう、などという状況は、原則として存在していなかった。科学の成果が、実際的な目的にも役立つことが「実証」されたのは、第一次世界大戦が契機と言ってもよく、例えば毒ガスの開発は化学研究の結果でもあった。化学研究に言及したので、一言付け加えておけば、実は化学だけは、一九世紀半ばにすでに、社会的な利用についての見通しが立っていた領域だった。

リービヒ(J. von Liebig 一八〇三―七三)の手でつくられ、ドイツ語圏の大学のなかに早くから(理学部創設よりもはるかに以前から)存在を認められていた化学実験室は、一九世紀半ば過ぎには、人工染料や人工肥料など、繊維産業や農業、あるいは製薬業にとって、利用価値の高い知識を生産し、かつ利用価値の高い人材を供給し始めていたのである。

しかし、これは飽くまで例外的なことであって、例えば、大学出で学位を持った企業内研究所で働く研究者が、企業に対して重要な貢献をした最初の例と思われるものを、歴史のなかに探してみると、カロザース(W. H. Carothers 一八九六―一九三七)のナイロン開発が挙げられるが、それは一九三五年のことである。マンハッタン計画とは時間の上で一〇年の開きもないことに留意しよう。念のために書いておけば、カロザースは、イリノイ大学で学位を得、ハーヴァード大学などで教職を勤めた後、デュポン社に入って、その企業内研究所で研究に従事していて、ナイロンの開発に成功したのである。

話を戻そう。マンハッタン計画は、国家(中央政府)が科学者の研究を搾取した顕著な事例であることに間違いはない。それは、単に、科学者の専門家仲間の間に流通し、あるいは生産される知識を搾取しただけではなく、科学者そのもの、その頭脳とその労働力をも搾取した。戦争という非常事態であったからではあるが、この搾取の形態は、制度化されたものではなかった。例えば、日本に原子爆弾を落とすかどうか、という点での学術的な問題を検討し、最終的な判断を下す委員会が、アドホックにつくられたが、その委員は、オッペンハイマー(J. R. Oppenheimer 一九〇四―六七)、コンプトン(A. H. Compton 一八九二―一九六二)、フェルミ(E. Fermi 一九〇一―五四)、それにローレンス(E. O. Lawrence 一九〇一―五八)の四人であった。もちろん、このような当時のアメリカの第一級の科学者たちが常時、制度として政府に協力していたわけではない。

そして、ここに、興味ある事実が浮かび上がる。この時期、原子核物理学の研究者ばかりでなく、一般にアメリカの科学者の世界は活況に湧いていた。理由は、軍事的搾取の可能性から、多くの領域に政府資金が投入されていたからである。このことは、日本が太平洋戦争中に、理工系には研究費を潤沢に投下し、かつ研究者を優遇したことも思い合わせるべきであろう。ところで、アメリカの科学者たちは、極めて現実的であった。いずれ戦争が終われば、このような活況も終わってしまうに違いない、戦争が終わってもそうならないように、つまり、戦時という非常時だけではなく、常時、政府から科学者の世界に資金が流れてくるようにする仕組みをつくるべきだ、それが先の見える科学者たち(その一人がブッシュ〔V. Bush 一八九〇—一九七四〕であった)のアイディアだった(その点は第Ⅲ章に詳しく見ることにする)。このアイディアが戦後に実って、アメリカ連邦政府機関の一つとして著名な全米科学基金(NSF National Science Foundation)が誕生するのである。

6　使命達成型の研究

科学者の専門家仲間と外部社会の結び付きが、戦争に関しては極めて明白になったが、このパターンこそ、新しい科学研究の特性を顕著に示すものであった。プロトタイプの科学に従事する科学者と彼らの科学研究における成果を、外部社会が自分たちの目的のために利用し搾取する、というパターンがそれである。それが制度的に行われるようになって、科学は重要な変質を遂げたと考えなければならない。

外部社会と言うとき、最も基本的なエージェントは国家ないしは中央政府である。その実例の一つは、戦後のアメリカの宇宙開発である。もともと、アメリカもソ連(当時)も宇宙開発は軍主導で行われてきた。ロケット技術などは軍事技術そのものだった。一九五七年にソ連が世界で最初の人工衛星スプートニク打ち上げに成功したことも刺激となったが、時のアメリカ大統領アイゼンハワーは、軍人出身であるにもかかわらず、陸・海・空の三軍がミサイル開発競争に明け暮れているのを嫌って、宇宙開発を完全に軍事から切り離そうと考えた。そして五八年に、宇宙開発を人類の平和の進展のために行うことを規定した「航空宇宙法」を制定し、いわゆるNASA(アメリカ航空宇宙局 National Aeronautics and Space Administration)を設置した。その後のNASAの伝えられる活動から判断して、月に人間を送り込んだりする仕事だけがその使命であるかのように誤解されることがあるが、もともと、NASAは宇宙飛行のための技術開発だけではなく、大気圏や宇宙についての科学的研究にも、相当の資金と人材を割いていたのである。

もちろん、連邦政府は、単に宇宙や大気圏の知識を増大したがっている、「好奇心」に駆動された何人かの科学者を満足させるために、この研究機関(あるいはそのセクション)を建てたわけではない。NASAの設立趣旨に見られる一項、この分野において「世界の指導的地位に立つために」という文言が端的に示すように、NASAはスプートニクでソ連に先を越されたアメリカの国家的威信の回復と示威とを目的としていた。つまり、ここでの研究行為は、そこに設けられたポストに張り付いた研究者にとっては、好奇心駆動型であり得たとしてもなお、全体の文脈のなかでは、もはや、変質した性格を備えていたと言うべきだろう。

それは研究費の投下を支える枠組みに現れている。もはやこのとき国家予算に組まれた研究費は、フィランスロピックな枠組みにおいてではなく、国家の威信を維持する、という研究以外の使命を達成する手段であったからである。もちろん、例えばフィランスロピックな枠組みのなかでの研究費支援の場合でも、あわよくば研究の成果が上がって、その研究者がノーベル賞でも受賞できれば、国家的威信も上がるだろう、という期待が、背後にないとは言い切れない。しかし、そのような事例では、二つの点で、NASAの場合とは様相が異なっている。第一には、言うまでもないことだが、投資の目的は飽くまで研究者の支援であって、国家的威信云々は副次的な意味しかないことである。もっと歯に衣着せずに言えば、たとえ研究の結果が思うように出なくとも、投資した側は、その責任を問うことにはならない。しかし、NASAの場合には、ときどきの失敗は当然許されるにしても、最終的な使命の達成に失敗は許されない。第二に、プロトタイプの研究支援の場合には、研究の直接の目標は研究者の自発的な意志によって定められ、支援者はそれを黙って支援するのみである。しかしNASAの場合には、最終的使命は「国家威信を上げる」ことであると同時に、研究の直接の目標そのものも、研究者の自発性ではなく、国家の意志によって定められたものである。

ここにネオタイプと筆者が呼ぶ研究活動の新しい特徴の一つがある。すなわち、科学研究の目標が、科学者の専門家仲間以外の外部の人間、組織、機関によって定められ、それを実行し、達成するために、科学者の能力と労力が搾取される、という状況で、進められることが、制度的に確立されたのであり、その最も端的な実例が、NASAであったと言うことができる。

こうした研究活動の使命は、多くの場合、個人的な規模では達成ができない。ほとんど必然的に、五―一〇年計画程度の大規模「プロジェクト」化する。マンハッタン計画では、むしろ科学者の側が売り込んだのがきっかけであった、というのが歴史的事実であることは、すでに述べた通りだが、今日ネオタイプの科学の典型的パターンは、使命を発注するエージェントが存在することから始まる。そのエージェントは、中央政府(の一部局)であることもあり、あるいは地方自治体、特定の社会的組織など、様々である。その発注に対して、科学者の側から「請け負い」が「入札」の形で行われる。発注主は、その入札者(穏やかに言えば「応募者」だが)のなかから、最もコストパフォーマンスの良さそうなグループを選んで、使命の達成を請け負わせる。資金が投下され、研究が始まる。中間評価が行われる。見込みが大きければそのまま研究は続く。多少の修正が求められることもある。日本でも少しずつ生まれているが、中間評価で見込みなしとして中止になる場合もある。最終評価で、使命が十分に達成された、と判断されればめでたしめでたしとなる。不十分であるが、後数年で十分な成果が上がるだろうと予測されたときには、追加的な措置が講じられることもある。では成果が上がらなかったとき、どうなるか。

研究ティームの側に道義的責任は生じるだろう。しかし、民事的、まして刑事的責任が生じることは、とりあえずはない。使った金を返せと言われることもないだろう。少なくとも研究という行為には、「成功」だけでなく「失敗」の実例も貴重な積み重ねの一つだからである。では制裁は一切ないのか、と言えば、そうではない。例えば、失敗したプロジェクト・リーダーは、もちろん失敗の内容にもよるが、次の「入札」の際には、明らかに不利になるだろう。それは消極的な制裁になるだろう。成功者は「マタイ効果」で、発注主の信用が増し、次々と「請け負い」仕事が入ってくる。

こうしたプロジェクト研究に従事する個々の研究者は、しばしば研究者としてのアイデンティティを失うか、あるいは少なくとも多少は「曲げる」ことになるだろう。言い換えれば、プロトタイプの科学の場合とは違って、自分の「好奇心」だけがすべてを決める、という状況にはないことになる。プロトタイプの研究でも、大学院生や大学の助手では、そんな状況にはないではないか、という反論がありそうだが、ここでは、原則的な話である。もちろん、自分の「好奇心」の赴くところを「曲げて」、プロジェクト研究に参加している研究者でも、そこで「研究」をする限り、論文も何本かは書けるし、研究費はたっぷり使えるし、昇進に繋がるキャリア・パスの一つではあるし、ということで、通常のプロトタイプの研究と異なった研究活動をしている意識は持たないかもしれない。しかし、もう一度書くが、ここで問題にしているのは、原則のことである。

7 プロトタイプとネオタイプ

これまで書いたことですでに明らかであると思われるが、ネオタイプの科学は、独立に出現したり、あるいは存在したりしているわけではない。飽くまでも、プロトタイプの科学と科学者に依存して出現し、かつ存在している。その意味では、ネオタイプは、プロトタイプと根本的に異なるのではなく、その「変異種」であると考えてよい。

しかし、その「変異」の意味は、両者の間に区別を立てることが至当であるほど大きい。最も大きい問題は、言い古されたことだが、科学者の行動規範に関わる。

プロトタイプの科学にあっては、科学者の専門家集団と、外部社会との関わりは、せいぜい「フィランスロピック」な枠組みに基づく慈善的資金援助のチャネルだけであった。したがって、科学者と言われる人々の行動規範は、科学者の集団の内部規範にとどまっていた。それは一種のギルド的職業倫理であるかもしれないが、それ自体完全に「自己閉鎖的」で「自己完結的」であった。現在でも、おおむねは、表立って誰からも教わることもなく、しかし科学者のキャリアを歩み始めるにつれて、自ずから身に付けるべきものとされている。実験の仕方、データの取り方・分析の仕方・加工の仕方、論文の書き方、他人の論文の引用の仕方、議論の仕方、レフェリーとのやり取りの仕方、……。これらは、科学者のギルドに仲間として認めて貰うのに必要な項目であり、遵守すべき規範であって、しかも、考慮の対象は、自分の仲間の外に一歩も出ていないところに、際立った特徴がある。

同じ知識人のギルド的職業倫理でも、古くから伝統になっている医師、聖職者、法曹家などでは、仲間内の行動規範だけでは済まない性格がある。彼らには必ず自分たちの仲間以外の、外部社会に属するクライアントが存在する以上、そうしたクライアントとの間に例えば「守秘義務」のような守るべき規範が必要になる。ところが、(プロトタイプの)科学者だけは、その活動が「個人的」かつ「自己完結的」であるために、実際には行動規範は「自己に忠実であれ」という以外には、本来何もなくて済む。ただ、すでに見たように、科学者は「仲間づくり」をして、それを制度としたために、そうした仲間内だけに必要な行動規範が、自然に発生したと考えられる。

しかし、ネオタイプでは、様相は明らかに異なる。このタイプの研究には発注主というクライアントが存在する。彼らは、資金を提供する代わりに、それなりの成果(使命の達成)を求めている。したがって、その使命達成を請け負った研究者には、その使命を達成する義務と責任が生じる。先にも述べたように、現在でも、この義務と責任は、経済活動における、契約に基づく受注行為のように、民事的、刑事的な義務や責任を負うことは、求められていない。しかし、この点では、科学の研究者も、技術の世界で起こってきたこととほとんど全く同じ状況に立たされていることは明らかである。

それと同時に、しかし、今日では、更なる義務と責任が科学者の背にかかってきている。すでにマンハッタン計画においてそうであった。物理学者オッペンハイマーは、マンハッタン計画の学問的な立場での責任者の地位にあったが、自分の責任において開発された原子爆弾が「ヒロシマ」を生み出したことに、生涯道義的な負い目の感覚を持ち続けたらしい(という証言がある)。何人かのマンハッタン計画に関係した物理学者たちは、戦後、核兵器廃絶の社会運動の先頭に立ったり、運動に加わったりしたが、それも、そうした意識のなせる結果であろう。一方で、多くの物理学者は、核兵器を問題視したとしても(そうでないアメリカ人が今でもアメリカには多数いることは、広島関係の展示が拒まれたスミソニアン事件でもはっきりしている)、自分たちには責任がない、という態度をとっている。自分たちは、自分たちの好奇心から、原子核研究をやってきた、その結果の一部を軍部が「悪用」したとしても、「悪用」したのは科学者の仲間ではなくて、飽くまで軍部である、だから原子核研究そのものに、核兵器に対する道義的責任がある、などと言うのは、誤りである。これが、そうした態度の背後にある考え方だろう。

　マンハッタン計画に関して、この論理がそのまま当てはまるかどうか、個別の問題として捉えれば、疑義はあろう。しかし、この論理は、一般論としては、今日のプロトタイプの科学者（あるいは自分はプロトタイプの科学に従事していると信じている科学者）のかなりな部分によって、暗々裏に共有されている。

　しかし、観点をネオタイプの科学に移して考えてみると、この論理がそのままでは適用できないことがはっきりしてくる。その格好の例をオウム事件が提供してくれた。オウム事件に参画した研究者たちは、幹部が求めた、強力な殺戮素材の開発という使命を、見事に達成した。その意味では、彼らは、サリンをつくり、ＶＸガスをつくることで、自らの義務と責任を果たしたことになる。しかし、その結果が、恐るべき反社会的な意味を持ったとすれば、あの研究・開発に携わった研究者たちに、全く道義的責任がないという論理を立てられるのであろうか。

　このように考えてみると、繰り返し述べてきたように、プロトタイプの科学とネオタイプの科学とは、決して、無縁ではなく、相互に依存し、関係し合う存在である以上、今日のプロトタイプの科学もまた、こうした問題提起に応えなければならない状況に至っていると考えられる。言い換えれば、先のような論理は現実にはもはや通用しなくなってきていると考えられる。

一つの事例を眺めてみよう。アメリカ科学アカデミー(NAS National Academy of Sciences)は一九八九年に小冊子 *On Being a Scientist* を刊行した。この小冊子の改訂第三版は、『科学者をめざす君たちへ――科学者の責任ある行動とは』(池内了訳、化学同人、二〇一〇年)として翻訳刊行されている。この小冊子は、科学者に「仲間入り」するためには、何をすべきか、何をすべきでないか、という行動上の規範が書かれている。その大半は、先に述べたように、科学者仲間(英語では〈colleagues〉である)に対する「責任」として語られる。その意味では、この小冊子は完全にプロトタイプの科学に関するギルド的職業倫理の明文化であると考えられる。しかし、最後に(新版では、その後に幾つかの想定事例の検討が付け加えられている)「社会のなかの科学者」という章が設けられているが、初版のそれは次のような文章で始まっている。

「本書では、科学研究を推進するうえでの科学者の責任に重点を置いてきたが、さらに科学者は社会への責任を負っていることも述べておきたい。最も基礎的な研究を行っている科学者といえども、その研究が最終的には社会に大きなインパクトを与える可能性があることを自覚しておくべきである。」

これに対して第三版では、この部分は次のように読める。

「科学の規範は、科学コミュニティー内部の責任範囲を超えて広がっている。研究者には、自分たちが生み出した業績や知識が広い社会においていかに使われるかを熟考する責任もあるのだ。」(前掲邦訳書第三版、二〇一〇年、八一頁)

ここには二〇年という時間のもたらした明らかな変化がある。前者では、一般社会のなかで問題とされるようなところに気を配るべきである、という論調になっているのに対して、後者では、いかなる科学研究も、最も基礎的な研究(もちろん筆者の区分に従えば「プロトタイプの科学」)であってさえ、研究者はその研究の結果が社会に対して与え得ると推測されるインパクトを熟考する義務がある、という主張になっている。

筆者の主張する状況の変化とは、まさにこの主張に代表される。このような科学研究の置かれた位置の変化のなかで、われわれは、将来の科学研究をどのように見据えるべきなのであろうか。

III

新しい科学像の一つの象徴

1　科学の原型

西欧において科学研究が制度化され始めたのは一九世紀になってのことである。科学者という社会的存在が認知されるようになり、彼らは自分たちの「専門」領域において、それぞれ固有の専門家の共同体を形成し、学術ジャーナルを刊行し、研究成果を論文の形でそこに掲載するようになった。論文掲載に当たっては「同僚評価」(peer review)に基づくレフェリー制度が設けられた。こうした「制度化」は、一九世紀いっぱいかかってほぼ完成した。二〇世紀に入ると、このような意味での科学の原型が定まり、共同体の外の社会もまた、そうした科学という独特の知的活動の存在を認知するようになった。

外部社会が科学という知的活動を認知するようになった、ということは、決して、社会がそれを社会全体の共有財産として「活用」し始めた、ということを意味しない。もともと科学者たちを研究に駆り立てている主たる動機は、自らに内発する好奇心であり、それを満足させる行為として研究活動がある以上、科学というのは、基本的に、科学者の共同体の内部で自己完結する行為である。自分たちが面白いと思うことを研究テーマに選び、研究の結果が得られれば、それを面白いと思う人々だけが満足する。そうした自己閉鎖的で自己完結的な活動が、本来科学なのである。

科学者の書く論文は、自分の属する科学者共同体の内部構成員のみを読者として想定しており、そこで新しく生産された知識は、科学者共同体の内部において蓄積され、あるいはその内部においてのみ流通し、相互に消費される。評価もまた「同僚」以外には下すものがいない。

化学だけをほとんど唯一の例外として、科学者共同体の内部で生産された知識が、直接外部社会に活用されて、何らかの利得を生み出すというようなことは期待もされなかったし、科学者の側も、社会から研究資金を引き出そうとするときに、戦略として多少そうした「活用可能性」をほのめかしたとしても、それは本気とは言えなかった。

外部社会の方も、科学者の側の慎ましい資金援助の要請に応えるだけの度量は備えていた。二〇世紀に入ると、財団や一部の国家政府は、科学研究に援助のための資金を投じるようになる。しかしそれは、そこで生産された新しい知識を特定の目的のために利用・活用しようとする下心あってのことというよりは、芸術活動を支援するのとほとんど同じ原理に則ってのことであった。

外部社会が科学者のために用意した褒賞制度として、現在並びない権威を誇っているノーベル賞という制度が稼働を始めるのは一九〇一年からであるが、しかし、これも、受賞者の審査に当たっては、平和賞、文学賞(経済学賞は厳密な意味では「ノーベル賞」のなかに入らない)は別として、物理学賞、医学・生理学賞、化学賞は、その審査の手続きも、同僚の推薦を基本にしている。実際、二〇世紀前半の授賞に関する基礎資料(何年に誰が誰を推薦したか、という点に関する)が開示されているので、私たちはその内情をある程度かいま見ることができるが、推薦者はすべてその専門家共同体の内部の人間である。同僚からの推薦のなかった人物を、授賞審査委員会が独自に受賞者とすることは原則としてあり得ない。したがって、制度的には、これは「外部」社会が与える褒賞ではなくて、むしろ「同僚評価」の結果なのである。

内容的に言っても、それゆえ、授賞の選考、審査に当たって評価される候補者の業績は、外部社会と直接繋がりを持たないことを基本としている。外部社会に経済的、軍事的、あるいは政治的に強大な利得をもたらしたから、という理由は、いっさい省みられない。それぞれの専門家の共同体の知的財産を顕著に殖やしたから、という理由こそ、ノーベル賞授賞を支える「合理性」である。最近はこの基本や原則が少しずつ崩れているような傾向があることは、後に述べる事態、つまり科学研究の変質という事態に照応している。

もちろん医学・生理学賞の場合には、単に知的な知識生産だけが問われるというよりは、実際に医療のクライアントである患者(それは科学者共同体から見れば、完全に「外部」者である)の福利に貢献した、という理由が、背景に存在していることは否定できないことを付け加えておこう。

確かにノーベル賞のように、賞自体が国際的な権威を備えてしまうと、各国がしばしば受賞者の数を競い合うように、あるいは例えば日本の政府の文書のなかでも「もっとノーベル賞受賞者の数を増やすためにはどうすればよいか」などと露骨に触れられるように、それを受賞することが国家の目標の一つに掲げられたりするようになるが、それは賞自体の本質とは、本来あまり関わりのない副産物でしかなかった(はずである)。

こうして科学研究は、基本的には科学者共同体の内部で自己完結する知的活動として成立し、社会もまた、それを認知してきたのであった。科学者共同体は、むろん、一般社会の下位社会であるからには、その空間は、一般社会の張る空間に原理的には包摂されているには違いないが、そしてその下位社会と一般の社会との間には、幾つかの接触、交流のチャネルが存在しないわけではないが、しかし基本的には、科学者共同体の空間は、一般社会の空間のなかでは、隔絶された特殊な空間であるという認識は、科学者共同体の内部でも外部でも、双方に共有されてきたと言うことができる。

とくに、科学の制度化とほとんど時間的には平行して、ヨーロッパでは大学の近代化が進められていたことにも注目しておきたい。中世的な大学から脱皮して、新たな知の空間を目指した「フンボルト流」近代的大学は、文字通り「象牙の塔」として、完全な「自治」を社会に対して要求した。「教える自由」と「学ぶ自由」とを確立した大学は、一般社会からは隔絶された知の「駆け込み寺」のような機能を備え、特殊な空間を形成した。

そして、一九世紀に誕生した近代的科学は、まさにそうした「近代的大学」のなかに自分たちの立脚点を見いだした。その意味でも、科学は、一般の社会と一線を画することを必然としていた、という点も見逃せない。一般社会のなかにクライアントを持ち、常に一般社会の必要に直結せざるを得ない技術、あるいは工学が、長い間ヨーロッパやアメリカの大学から締め出されていたという事実も、あるいは、大学のなかに一郭を占めた科学が、ことさらに工学のような実地の成果を無視しようとする姿勢をとり続けたことも、科学それ自体の本質とともに、こうした時代と制度上の特殊性が関わっていたと考えることができるだろう。

2　新しい事態

こうした「科学」という概念は、今でも決して失われたわけではない。とりわけ、科学者と自認する人々のなかには、自分の従事する仕事の性格を、ここまで述べてきたようなものと一致させようとする人々が多いことは、端的な事実である。また一般社会の人々も、科学というものを、そのようなものとして捉え、好ましく思ったり、あるいは自分とは無縁のものと考えたりしていることが多い。

しかし、前章でも強調したように、科学はこの半世紀ほどの間に、大きな変革を経験してきたこと、そしてその変革の流れは、今後もより加速されこそすれ、後戻りは難しいことを、正面から見据えずに科学を論ずることができなくなっていることも、明確な事実である。そしてこの変革の一つの象徴的存在がヴァネヴァー・ブッシュであった。

ヴァネヴァー・ブッシュ(Vannevar Bush 一八九〇—一九七四)。アメリカの電気技術者、初期のコンピュータ関連の学問の立ち上げに貢献、科学・技術を国家政策の領域に持ち込んだ人物。科学者としては、ノーベル賞を受賞したわけでもなく、とくに傑出した業績があるとは言い難い。一九二三年から三八年まで、MIT(マサチューセッツ工科大学)の教授、工学部長を務め、MITで同僚となったウィーナー(Norbert Wiener 一八九四―一九六四)のサイバネティックスの周辺領域で、微分方程式を扱うことのできる計算機のアイディアを発表したという点で、サイバー・スペースでは最近あらためて注目されてはいる。

変革の兆しは、やはり第一次世界大戦であった。戦争とくに近代的戦争は、確かに技術の戦いである。第一次世界大戦では、戦争の後半に飛行機が実戦に登場した。戦車もイギリス軍に開発されて、ヨーロッパ戦線の末期には実際に戦場に現れた。毒ガスがドイツ軍によって実用化された。アメリカを参戦に追い込んだのは、ドイツ軍の潜水艦(ウー・ボート)による無差別攻撃だったとはよく言われるが、その潜水艦の実戦への本格的投入もこのときの大戦だった。着弾や照準の修正には、無線電信が有線電話と並んで重要な利器として使われた。ちなみに、ラジオというのは、今でも「市民ラジオ」などという概念に辛うじて残っているが、本来は「一対一」の「ナロー・キャスティング」として用いられ始めたもので、それが「ブロード・キャスティング」(放送)に転用されて、すっかり利用方法が変わってしまうのである(一三二頁参照)。

航空機、戦車、潜水艦、無線電信、などの新しい武器の開発・製造は、いずれを取り上げても、従来の経験と熟練だけを財産とした職人的な伝承技術の範疇を、はるかに越える技術的要求を満足させなければならないものであった。あるいは在来の武器、装備であっても、大砲や機銃の性能、砲弾や爆弾の性能、軍艦や戦車のための内燃機関の性能などの向上、装甲のための鋼鉄の改良や非鉄金属の開発、照準装置の改良や、航空機に積んだ機銃の発射とプロペラの回転の同調機構の開発なども、技術が取り組まなければならない新しい課題であった。

そして、このような新しい技術的課題克服の基礎として、ようやく力を付け始めていた科学のなかで、蓄積されてきた知識の数々が役に立つ場合があることが、徐々に明らかになっていった。最も直接的には、化学的な研究の直接の「成果」としての毒ガスの開発が挙げられるだろう。「応用科学」という概念が、大学の科学研究の現場からというよりは、むしろ大学とは異なった教育機関として一九世紀の欧米で制度化が行われてきた工業専門学校あるいは技術専門学校(ＭＩＴもその一つであった)のなかで明確化され、しかもそれが戦争が必要とする様々な技術的課題の解決に力を持っていることがはっきりしてきた。

それをＭＩＴが辿った途を振り返ることで、検証してみよう。前身はあるもののＭ

ＩＴは一八六二年のモリル法の成立によって生まれた工学校である。モリル法というのは、連邦政府が各州に所有する土地を無償で州に提供する代わりに、州は自己の責任において、技術支援のための学校を設立することを定めた法律であり、この法律に基づいて建設された学校は、そのゆえをもって「土地付き学校」(land-grant colleges)と呼ばれた。多くの場合、こうした技術学校は州の産業上の特質に従って、農業、もしくは工業、あるいはその双方を主体としたために、これらの学校はまた《A and M's》(agricultural and mechanical colleges)と呼ばれることもあった。これらの「州立」学校は、二〇世紀に入って次第に「大学」としての体裁を整えることになり、それが州立大学となっていくことになる。したがって、アメリカの州立大学は、植民地時代にミッション経営のヨーロッパ型の大学として設立された伝統的大学(「アイヴィ・リーグ」の名で呼ばれる)とは、その出自が全く異なるのである。

ＭＩＴもモリル法の恩恵を受けて設立された工学校の一つであった。ただこの組織は他の州立学校とは異なり、州立から私立へと経営形態を変えていく。当初は建築技術者の養成が主たる目標とされていた。

転機はまさにわれわれが問題にしている戦間期、つまり、第一次世界大戦の後の一九三二年に訪れた。このとき校長となったコンプトン(Karl T. Compton 一八八七—一九五四)の強力なリーダーシップの下で、本格的な大学としての構成を目指して大幅な改革を実現したのである。コンプトンはプリンストンで学位を得た物理学者であるが、同じプリンストンの出身で、アインシュタインの光量子仮説の実験的な証拠となるいわゆる「コンプトン効果」を発見してノーベル賞を受賞したコンプトン(Arthur H. Compton 一八九二―一九六二)とは別人で、血縁関係もない。

カール・コンプトンは、一九三二年に理学部、工学部、建築学部を設立し、また人文学部(社会科学や近代語学などを含む)を併設する計画を進めた。このとき初代の工学部長の重責を担ったのがヴァネヴァー・ブッシュであったわけである。MIT最大の学部となったこの工学部は、土木・建築、一般工学の他に、金属・鉱山、造船・造艦、電気、民政・衛生、化学、経営などの工学・技術学科をなかに抱えていた。まさに「富国強兵、殖産興業」という国家的目標を達成するという使命を意識した構成であると言えよう。そしてまた、これは一種の臨戦態勢であるとさえ言える。

戦後もMITは国防総省の研究・開発を引き受け、キャンパス内のあちこちに「一般市民立ち入り禁止」という立て札の立つエリアが見受けられたが、その基本的な性格はこのときに出来たと考えられる。

ブッシュは一九三八年までこの要職にあったが、そのときすでにナチス・ドイツは戦争の最終準備段階にあり、翌三九年九月一日、ついにヨーロッパは第二次世界大戦に突入した。彼は四〇年六月、戦争に関して科学者の協力を求めた一種の総動員的な体制の整備に努め、その国防研究会議という組織の委員長となった。四一年にアメリカ国防省は内部に研究開発局(Office of Scientific Research and Development)を造って、ブッシュをその局長に任命した。

これより先、ドイツのポーランド侵攻の直前の八月、アインシュタインはシラードの勧めでローズヴェルト大統領宛に、有名な書簡を書いている。ナチス・ドイツがウランのエネルギーを軍事的に利用する可能性を説いたものである。この提言は、結局ポーランド侵攻よりもはるかに遅れて一〇月にローズヴェルトの手に渡った。大統領はアインシュタインに返書を書き、政府内で、問題を検討するための委員会を造ることを決めた、と告げている。この委員会は何度か会合を開いて事態を検討したが、その年の一一月に出された報告書は、まだ比較的のんびりした調子で貫かれている。この委員会は、先に述べたブッシュを議長とする国防研究会議が発足すると、その下部委員会に編入された。したがって、この委員会は通称「ブッシュ委員会」と言われる。しかし、このブッシュ委員会でも、原子爆弾開発への積極的な取り組みはまだ手がけられてはいなかった。

事態を一変させたのは、イギリスからの刺激だった。イギリスでも原子爆弾製造はようやく政府の話題となり始め、ブッシュ委員会の生まれた一九四〇年の六月にはモード(MAUD)委員会と呼ばれる組織が出来た。これはブッシュ委員会と違って、原子爆弾の製造を実現することを使命としたものであった。しかしイギリスは自力での開発を諦め、アメリカに造らせようと使節団をアメリカに送った。ブッシュ委員会は翌四一年アメリカ科学アカデミーに特設された委員会を通じて専門家を集めて、原子兵器開発の可能性を徹底的に議論したうえでの報告書を要求した。この特別委員会はこの年都合三回報告書を提出するが、第一次、第二次とも原子力は艦船の動力として利用すること、そこから副次的に得られる放射性物質は、毒物として兵器に利用が可能であろう、というものであった。しかし、イギリスからの使節の持参した提言のなかに含まれていたウラン二三五の利用、およびウラン二三八から得られるプルトニウムを利用するというアイディアが伝わった後の、第三次報告書(四一年の暮に提出された)では、ウラン二三五による原子爆弾製造の具体的な提言が明確に記載されることになった。この提言こそ、ローズヴェルト政府が原子爆弾製造に踏み切る出発点であり、その提言の実現に最も積極的になったのは、科学者の側ではローレンス(Ernest O. Lawrence 一九〇一―五八)であり、政府部内ではブッシュであった。

したがって、ブッシュは実際には一九四二年八月一三日に始まったマンハッタン計画に、それがまだ形をなさない揺籃期から、濃厚にコミットしていたことになる。

3　新しい科学像

このときブッシュは政権の内部にいたが、しかし言うまでもなく彼は、工学技術者ではあったとしても、とにかく研究者でもあった。この二つの立場を一身に引き受けて、しかも国家の危機としての大戦下に、その二つの立場を国家的使命への協力という形で、統一しなければならなかった。このようなブッシュの置かれた状況は、これまでにあまり誰も体験したことのないものだったと言える。第一次世界大戦の際には、まだこのような科学研究の組織的な動員体制は存在しなかったからである。

その上、ブッシュにはもう一つの大きな課題が与えられた。マンハッタン計画が目処のつき始めた一九四四年一一月一七日(アラモゴルドでの実験成功は一九四五年七月一六日のことである)研究開発局長ブッシュ宛に、ローズヴェルト大統領の親書が届いた。

その書簡は、四点についてブッシュの見解を求めたものだった。この書簡の基本的背景は次のような認識に立っている。戦争は終結期を迎えつつある。その終結をもたらすために、科学研究の成果が徹底的に活用された。戦争に際して起こってくる技術的な問題の解決に、科学的知識が見事に応用され、研究が組織化され、科学者たちの協力が達成された。この初めての実験は、国家最高機密のもとで行われてきたし、一般の国民のいかなる認知も抜きで進められてきた。しかし、このような経験から新しく学んだこと、無数の大学の研究者や企業の研究者たちが協力し合い、その結果貴下(ブッシュ)の組織を中心に蓄えられた無数の情報や技法や経験は、間もなく戦争が終わって平和が回復されたときにも、国民の健康の増進、新しい企業や新しい雇用の創造、そして何よりも、国民の生活程度の引き上げに、是非利用しなければならない。

これがローズヴェルト大統領の基本的な認識であった。そしてブッシュに諮問した四点とは次の各項であった。

(1) 機密に属すべきところは注意するにしても、この戦時の総動員体制が科学研究に対してどのような利益を与えたか、という点を、できるだけ早く全世界に知らしめるには、何をしたらよいか(社会の構成が変化し、新しい社会体制が築かれるはずだ)。

(2) 戦時下に行われた医学と関連領域における研究・開発の成果を、疾病との戦いとして、今後に役立て継続していくためには、何をしたらよいか(主要な疾病二つ程度で、その年間の死亡者数が、今大戦で失った人命の総数を上回るような状態を改善することは、われわれが未来の世代に対して負わなければならない責任ではないか)。

(3) 公的研究機関と、民間の研究機関とに対して政府が行うべき研究支援として、政府が行うべきことは何か。双方の役割分担や、双方の研究の間の相互関連はどうなるべきかも慎重に検討して欲しい。

(4) 戦時中のような高いレヴェルの科学研究を今後も維持するために、アメリカの若い層の間に科学的資質を発見し、あるいは育てなければならないが、そのために政府は何をしなければならないか。(以上は忠実な逐語訳ではない)

そして、この書簡は次の文章で締めくくられている。

「精神の新しいフロンティアがわれわれの前に広がっている。もしもこの戦争を遂行するに当たってわれわれが示した見識、積極性、そして使命感を動員してフロンティアを切り開いていくならば、かならずや、これまでとは比較にならないほど豊かな雇用を造りだし、同じように豊かな国民の生活を造り出すことができるはずだ。」(ほぼ逐語訳)

それから約半年、一九四五年七月二五日、ブッシュはこの大統領諮問に答える報告書を提出した。これが、ブッシュの名を轟かせることになった文書である。後にこの内容は彼の著書の一つとして刊行された。その表題は大統領の使った「フロンティア」という言葉を利用し、『科学——この終わり無きフロンティア』とされた。

ブッシュの考えの本質は、その有名なタイトルに集約されていると言える。あらゆる戦争に対しては、実際の敵国との戦争、疾病との戦争、あるいは貧困や失業との戦争に対しては、すべて、自然について次々に新しく獲得されていく知識の実地への応用によって、武器を整えなければならない。そして、そのような有用な知識は、基礎科学の研究によってのみ可能となる。近代国家としての健康、繁栄、安全は、科学の進歩ぬきには考えられない。

これこそ、科学研究の変質の高らかな宣言であった。科学者個人、あるいはその集合体としての特定の科学者共同体全体の好奇心を満足させるためだけの自然研究は、ここではその存在を許されていないようにさえ見える。基礎科学(つまり純粋な研究行為)もまた、最終的には、国家の安全や国民の健康、あるいは国家の繁栄という目的のために、応用されるべき宿命を帯びたものであり、ここでは、平和時にあっても、科学研究の国家による収奪、搾取、動員が当然のものとなる。

自己完結的で、自己閉鎖的な科学、あるいは科学の原型と呼んだものから、ずいぶんかけ離れた性格付けではないか。そして科学は、「終わり無き」(endless)前進を続ける。社会の富、繁栄、安全も、科学の終わり無き進歩とともに、終わり無き進歩を続ける。

そうした状況を制度的に支えるために、一種の機関を設立することが望ましい、という提言をブッシュは最後に付け加えている。それが最終的には全米科学基金(一九五〇年創設)に繋がったと考えられる。

さて、ここで科学の進歩を基礎に構想されている国家や社会は、ほとんど今日実現されているように思われる。社会の進歩を支える科学は、もはや社会のなかの隔絶された特殊な空間ではなく、教育、外交、軍事、医療・福祉、産業などとともに、社会そのものと有機的な関係を持ち続ける社会活動の一つとなった。しかも、教育、外交、軍事、医療・福祉、産業など、どれ一つをとっても、それをまた科学が支えているという現在の状況こそ、そのイメージのなかにあるものである。その意味でローズヴェルト－ブッシュの協同作業による「科学――終わり無きフロンティア」という発想は、科学の変質を予言し、あるいはそれを誘導し、今日のような状況を造り出すことの直接の引き金を引いた、という意味で、二〇世紀の科学／技術を語るときに、どうしても言及しなければならないことなのである。

しかし話はそれだけにとどまらない。確かに二〇世紀を終わろうとする今日、ブッシュの描く国家社会は、まさに実現されている。けれども、そこで人々の持つ科学そのもののイメージは、一九四〇年代の「終わり無きフロンティア」とは微妙に違っている。「終わり」が見えてしまい、進歩というよりは維持、保全を、右肩上がりの積極的な動きよりは、すでに積み重ねてしまった科学や技術の所産を、どう負の面を減らして何とか管理、処理していくのか、というところに力点が移ってしまっている。確かに、現代の先進国も途上国も、科学／技術の振興を国家政策としている。あたかも戦争下の総動員体制をとっているかのような状況にある。しかし、その内実は、ブッシュ主義とでも言うべきものからは離れつつある。ここに、新しい科学の姿が見え始めているといえるのかもしれない。それは、一九世紀に成立した原型的科学でも、ブッシュ主義によって規定されるような楽天的な社会化された科学でもない。それが二一世紀の科学となっていくのであろうか。

IV

西欧科学／技術と東洋文化

はじめに

科学の歴史的ヨーロッパ依存性

今日われわれが「科学技術」と呼び慣わしているものが、ヨーロッパに発したことには疑問はない。そして、その発生から生育までが、ヨーロッパの歴史に依存していたことも、自明の事実である。しかし、現代に科学と呼ばれているものが、ヨーロッパ文化から離れられないほど密接に結び付いているかと言えば、むしろ事態は違うだろうと思われる。

もっとも話を科学に限れば、その発生の歴史的な考察については、幾つかの可能性がある。一般には、一七世紀「科学革命」によって、ヨーロッパの伝統的な「自然学」が書き改められ、「近代科学」が誕生した、という考え方が通説になっている。この通説に関して、筆者には重要な点で異論があることは、すでに色々な機会に述べてきている。

この「科学革命論」は、一七世紀ヨーロッパの「科学者」たちを、今日の科学観に引き寄せて解釈するという時間錯誤を犯しているというのが、その異論の中心である。この時間錯誤を糺すことによって、一七世紀の、「科学者」と言われる人々に関してはもちろん、今日の目から見れば「科学者」と見なされずに排除されたり、無視されたりしてきた人々に関しても、別の評価があり得る可能性が生まれる。一言で言えば、従来の一七世紀のヨーロッパ観に、それなりの修正が求められることになる。

そのことの系として、その異論は、ヨーロッパにおける近代科学の発生の歴史的起源を、「科学革命論」の主張するところより、ほぼ二世紀現代の方に近づけることを示唆する。つまり近代科学一九世紀誕生説の可能性が論じられるべきだということになる。

この詮索が重要なのは、そのことが結局は今日の科学をどう捉えるか、ということに繋がるからである。例えばニュートンの行っていた知的作業の本質は、自然を律する神の秩序の理解というところにあった。彼は、万有引力の働きを神の力に帰すことをためらわないばかりか、むしろそのことをもって、神の遍在の証しとしようとさえした。もし、このようなニュートンの知的作業を、われわれの科学と直接繋げてしまうことができるとすると、われわれの科学もまた、キリスト教的な世界観を支え、それを強化することを目的とした知的作業である、と考えなければならなくなる。「科学革命」に近代科学の起源を置くことは、実は今日の科学もまた、そうしたヨーロッパの神学的な伝統のなかにあるものと考えなければならないということを必然の結果とせざるを得ないのである。

科学の「普遍性」

しかし、恐らく今日の科学を、そのように規定しようとする人は皆無だろう。確かに科学はヨーロッパに誕生した。そうである以上、その科学が、ヨーロッパ文化の根底を支えてきたキリスト教と、間接的にでも一切結びついていない、と考えることは不可能であるけれども、しかし、また今日の科学が、キリスト教神学の一部であると主張することもまた、同時に不可能であるはずである。

一般に今日の科学は、そうしたキリスト教的ヨーロッパという特殊、特定の文化を超えた、普遍的な知識体系として理解されている。そのことが強調されるあまり、過去においては一つの常識、つまり近代科学はキリスト教と対立し、闘争し、それを打破することで誕生した、という常識が生まれ、長い間人々の科学観を支配したこともあった。それが行き過ぎた解釈であったことに疑いを抱く人は、今日ではほとんど存在しないだろう。しかし少なくとも現代の科学が、キリスト教のみならず、如何なる宗教的自然観とも「無関係」か少なくとも「等距離」であることも、はっきりしているのではなかろうか。

「普遍的」であるかどうか、に関しては、綿密な吟味が必要であるが、科学の現状から見れば、ヒンドゥー教徒も、仏教徒も、イスラム教徒も、キリスト教徒も、あるいは無神論者も、科学に携わることに、本質的困難を覚えることは稀であろう。もちろん、急いで付け加えるが、医学が科学であるとすれば(そしてそのことに常識の世界ではほとんど疑問はないだろうが)、宗教的な理由で、ある種の医療行為を自ら拒否する医師はいるだろう(患者の側にそうした場合があることはよく知られている)。しかし、医師であることのなかには、少なくとも一部は科学者であることが含まれていたとしても、それで医師であることが尽くされるはずはないと考えられる。

そのことを言うためには、今日の科学がどのようなものであるのか、医療はどの程度その科学と重なっており、どの程度それをはみ出しているのか、という点を明確にしなければならないが、その議論は後に譲って、ここでは、現代の科学が、ある特定の宗教や文化的背景から自立しているように見える、という点は肯定しておきたい。

その点を肯定すると、科学の「普遍性」という、科学についてしばしば意図的、非意図的に信じられている重要な特性は、一つの証拠を獲得したと言えるかもしれない。

知識論の立場からの厳密な議論はさておいて、少なくとも現象的には、確かに今日の科学は「普遍的」な性格を備えている。

新しい科学の可能性

そしてそこからは、本章のような標題の下で科学(技術に関してはまだ一言も触れていないが)を考えること自体が、本質的な意味を失うという結論が導かれてしまう。もちろん、例えば晩年の湯川秀樹が非局所場の理論と老子の思想とを結び付ける可能性を模索したり、あるいは一九七〇年代に突発的流行を見せたニューエージ・サイエンスの精神的支柱ともなった、F・カプラの道教趣味に彩られた物理学の提唱など、過去に現代物理学と、それを逸脱する(かのように見える)他の(場合によっては東洋の)思想との結合を試みた例はないわけではない。

そういう意味で言えば、ハイゼンベルクのように、「東洋思想」そのものに格別の関心を持たなかった物理学者でも、少なくとも物理学の概念装置とは基本的には無縁の、古代ギリシャのプラトニズムを、自分の宇宙理論の基礎に置こうとしている例はあるのであって、知識論的に言えば、現代の科学といえども、決して、何らかの(個別の科学の概念装置をはみ出す)ものと結び付くことが否定されているわけではない。

その点は後に少し詳しく吟味することになるだろう。

他方、技術に関しては、もちろん、ことはそう簡単でないことは自明だろう。技術は如何なる文化圏にも自生しており、それはむしろ個々の文化圏を造り上げる重要な要素の一つでさえある。

近代産業技術は普遍的であり、「一つ」ではないか、という反論はあり得るだろうが、それとて、科学の場合のように、「ユニーク」な形をしているわけではない。そこで、本章では、最初に近代科学の特性の分析に立ち入り、それを土台にしながら、与えられた課題への解答を探してみることにしたい。

1　近代科学の特性

科学という知的活動

「はじめに」でも述べたように、近代科学の建前は、様々な文化的イデオロギー(その根幹に宗教がある)とは「無縁」であるという点にある。それが「普遍性」という、科学について言い立てられる特性のなかでも、最も中心的なものであろう。

その点が制度的にも保証されたのは一九世紀であった。それが、一九世紀に近代科学が誕生したとする考え方の最も重要な根拠であると同時に、恐らくこの点が、近代科学の生み出した、知識体系としての最大の特徴であると思われるので、多少煩雑になるのをいとわずに考えてみることにする。

科学者共同体の形成

一九世紀の科学者たちは、その活動の場を大学に求めると同時に、自分たちの共同体を形成することに努めた。当初こうした組織は、広い意味での「国」を枠組みとして形成された。「広い意味での」と断ったのは、まだ一九世紀前半では、ドイツ語圏やイタリアなどには、近代統一国家が構築されていなかったからである。そのドイツ語圏では一八二二年に「ドイツ自然探究者・医師協会」(略称GDNA)が設立された。この組織は、専門の如何を問わず、自然の探究に関心を持つ(ある程度)専門的な人々、つまり今日で言う「科学者」を糾合して、ドイツ語圏の各地で毎年大会を開き、科学の宣伝を行い、支援を取り付けようとするものであった。

専門ごとに研究者が集まるには、まだ専門領域が確立しておらず、「専門」家も数が足りなかったし、「自然探究者」という言い方にも、今日の「科学者」に相当するドイツ語が、この時点ではまだ存在していなかったことがはっきり表れている。つまり一八二二年という段階では、今日われわれがその言葉によって理解しているような意味での「科学者」は、ほとんど存在していなかったことが判るだろう。

このGDNA設立に刺激を受けた、もっと正確に言うと、一八二八年の第七回GDNAベルリン大会に出席して衝撃を受けたイギリス人C・バベッジ(Charles Babbage 一七九二―一八七一)は、イギリスにも同様の組織を造る必要性を感じ、帰国するや早速その運動にとりかかった。それが「イギリス科学振興協会」(BAAS)の設立に繋がった。一八三一年のことである。

一八三三年にはフランスでも、「フランス科学者会議」が設立され、アメリカでの同様の組織「アメリカ科学振興協会」(AAAS)は一八四八年に創設されている。

これらの組織はいずれも、ようやく誕生しつつあった「科学」を担う第一世代の科学者たちが、自分たちの社会的権利をアピールするために造ったものと解することができる。そうしなければならない必要性は、今よりははるかに大きかった。まだ「科学者」という存在が社会的に認知されていなかったからであった。

これらは、むしろ当時の王室、国家、一般の人々に対して自分たちの存在をアピールすることが主たる目的で結成されたものであるから、いわゆる科学者共同体の定義、つまり専門家たちの造る知的共同体という理念からすれば不十分である。

妥当な意味での科学者共同体は、それからほぼ二〇年ほどの時間を置いて、つまり一九世紀の半ば頃から本格的に形成され始める。今度は、「国」とか言語には拘泥せず、同じ専門の科学者たちが、そして彼等だけが、集まって造り上げる共同体であった。この時期に、地質学会、物理学会、化学会などに相当するものが、ヨーロッパやアメリカに続々と登場するようになった。それらの学会は、構成員の研究成果を発表するための媒体として、独自のジャーナルを用意し、研究者はそうした共同体に所属して、自らの研究成果をジャーナルに発表することを、研究の目標とするようになっていく。

科学の自己完結性

このような制度的な対応は、科学と呼ばれるものの性格を決定付けたと言える。何故なら、この制度において、それぞれの個別科学は、自己完結的で自己閉鎖的な知的活動たることを保証されることになったからである。個別科学の領域は、知的関心や好奇心を同じくする人々の「関心」の範囲によって定まる。逆に言えば、「専門家」は、何にでも関心を持っている限りは「専門家」ではない。ある特定の「門」のなかにあることがらだけに「専ら」関心を持つからこそ、「専門家」なのである。そして、共同体に集まった専門家は、その特定の「門」のなかのことがらについて、何程か知識を持っている。そうして持ちよられた知識は、単なる百科全書的な知識の寄せ集めではなく、それなりに体系化された集積体を構成する。

この集積体を造り上げるべき知識の獲得に関しては、例えば実験の方法や、利用すべき装置の仕組み、あるいは使うべき素材などに関して、暗黙の了解があり、その了解のなかで定形的に行われる知的活動の結果として、知識が獲得されることになる。こうした定形性は、それぞれの個別科学において固有のものであり、そのことを弁えている人が「専門家」でもある。

そうした定形的な手順を踏んだ上で新たに獲得された知識は、先に述べた共同体の体系化された知識集積体に加えられていく。したがって、その限りにおいて、その科学は、方法論的に「累積的な進歩」を約束されていると考えられる。知識は確実に生産され続け、つまり増え続け、そして、自らの体系は強化され続けるからである。

ここでの「定形性」という概念に関して、一つの論点を付け加えておきたい。かってP・ファイヤアーベントは、科学方法論の定形性を主張するK・ポパーらを皮肉って、もし科学に定形的方法論があり得るとすれば、それは「何でも構わない」という原理のみだ、と主張した。実際に研究に携わる科学者が、一つの方法論だけに縛られて研究活動を続けているはずはない。しかし、その論点は、ここで言う定形性とは、論じられている視点あるいは次元が異なっている。ここでの「定形性」とは、一つの個別領域のなかで、当該の共同体の構成員たちが研究に従事する際に働くものを述べており、科学の方法論一般に関するものではないからである。

もう一つ、それでもなお、ファイヤアーベントの言う「何でも構わない」は成り立つ可能性がある、ということを付言しておきたい。特定の専門の現場でリアルタイムに活動する科学者の頭脳は、柔軟で、固定されていない、ということは十分考えられるからである。しかし、そこから得られる結論、あるいはそこで生産された結果としての知識は、当該領域の張っている定形性の空間のなかに納まらなければならないことは、研究者である限り弁えており、そして実際にそういう努力を重ねて論文に仕上げるのである。

このようにして生産され、当該の共同体の集積体に属するようになった知識は、その共同体のメンバーのすべてに共有されるものであり、彼等が共同体の内部で知識活動を続けていくときに、共同体の共通財産として、自由に利用が可能である。この側面が、ジャーナルに発表される研究論文のなかの「引用文献」という形式に照応することになる。引用される文献は、基本的に、当該分野のジャーナル類(必ずしも一つでないのは、国際的、国内的な組織の多重性に拠っているからだと言えよう）に発表されたものに限定される。例えば、共同体の関与していないような媒体（商業誌など）に発表されたものは論外であり、他の領域の共同体のジャーナルに掲載された論文でさえ、通常は引用されることはない。

このように考えてみると、科学という知的活動は、極めて自己閉鎖的で自己完結的であることが判る。個々の科学者共同体の内部で、定まった手続きに則って、知識が生産され、その共同体固有の体系に累積され、その共同体の構成員の共有財産として利用され、消費される。

普遍性の意味

そこで、ここに一つの結論が導かれる。個別科学が、現在の定形性を維持する限り、それを採用しているところでは、そこから得られる知識は「普遍的」である。むしろ、そうなるように定形性を組み立ててきたのであるから、「普遍的」でないことは不可能である。

ここで言う「普遍的」とは、既存の個別の文化に依存しない、ということである。別の言い方をすれば、個別領域そのものが、非常に厳密な意味での個別的「文化」を形成しており、それを採用する限りにおいて、それ自体が独立した知的機能を発揮することになる。

ここで日本の状況について一言しておくのも無駄ではあるまい。日本は、近代化を始めた明治維新後、ヨーロッパの科学を取り入れようと努力を重ねてきた。その努力には、多くの欧米の専門家たちが「お雇い」として協力したが、なかでもE・ベルツの医学の分野での働きは目覚ましかった。その彼に、有名な日本批判がある。

ベルツの批判

「すなわち、わたくしの見るところでは、西洋の科学の起源と本質に関して日本では、しばしば間違った見解が行われているように思われるのであります。人々はこの科学を、年にこれこれだけの仕事をする機械であり、どこか他の場所へたやすく運んで、そこで仕事をさすことのできる機械であると考えています。これは誤りです。西洋の科学の世界は決して機械ではなく、一つの有機体でありまして、その成長には他のすべての有機体と同様に一定の気候、一定の大気が必要なのであります。(中略)

諸君! 諸君もまたここ三十年の間にこの精神(西欧の科学を育てた精神——引用

者〕の所有者を多数、その仲間に持たれたのであります。西洋各国は諸君に教師を送ったのでありますが、これらの教師は熱心にこの精神を日本に植えつけ、これを日本国民自身のものたらしめようとしたのであります。しかし、かれらの使命はしばしば誤解されました。もともとかれらは科学の樹を育てる人たるべきであり、またそうなろうと思っていたのに、かれらは科学の果実を切り売りする人として取扱われたのでした。かれらは種をまき、その種から日本で科学の樹がひとりでに生えて大きくなれるようにしようとしたのであって、その樹たるや、正しく育てられた場合、絶えず新しい、しかもますます美しい実を結ぶものであるにもかかわらず、日本では今の科学の「成果」のみをかれらから受取ろうとしたのであります。この最新の成果をかれらから引継ぐだけで満足し、この成果をもたらした精神を学ぼうとはしないのです。」（「在日二五周年記念祝賀会（一九〇一年一一月二二日）席上における演説から」、『ベルツの日記』（上）菅沼竜太郎訳、岩波文庫、一九七九年）

この、日本の科学を論ずる場合にしばしば引用されるベルツの評言は、確かに辛口ながら日本の積年の問題点を衝いていることは確かである。私もかつてこの文章を、その目的のために利用したことがある。

しかし、先進社会を追いかける立場に立った文化圏にとって、そうした態度はほとんど必然であって、その過程を辿らずに一体科学の移植は可能なのか、という反論は、一面では正当である。

さらにそのような実質上の論点は捨象して考えてみても、「果実だけを」取り込むことができるようになっているのが科学であるとも言える。「普遍性」を強調すればするほど、知識論的に見れば、「科学の樹」などは必要ないのであり、自由に果実を切り取って取り込むことができることを主張していることにもなる。

科学の文化非依存性

そうした観点から事態を眺めてみると、科学者共同体の構成員が、例えばそれが国内の組織であることによって、会則が日本語で書かれており、掲載される論文も日本語以外にはあり得ない、というような事情から、実質上海外の構成員が排除されているような場合を除けば、科学者共同体の典型としての現在の自然科学の学会は、日本国内で組織されているものでさえ、かなりな数の海外の会員を抱えているのが普通である。まして、欧米の学会はそのほとんどが、あらゆる国々に開放されており、また実際に多国籍の会員を持っている。

この事実は、現在の科学が日常的な意味での文化に非依存的であることを示していると言えよう。これらの共同体の構成員のなかには、日常的な文化においては、厳密なイスラム教の社会のなかで生活している人もいるだろうし、儒教的な文化のなかにどっぷり浸かって生きてきた人もいるだろう。しかし、そのことは、彼等がある個別科学の科学者共同体の構成員であることと、本質的に相容れないことにはならない。

翻訳の問題

もちろん、そこには言語の問題が立ち上がることを無視するわけにはいかない。私たち日本人は、科学者になるために、どうしても外国語(今日ではほとんどの場合「英語」である)を学ばなければならない、という状況にはない。小学校から大学に至るまで、科学を学ぶ際に、日本語で書かれた教科書を使うことができるようになっている。しかし、多くの非ヨーロッパ圏では、母語を使って科学を学ぶことができないのが実状である。このことは、日本人の外国語下手という問題に関わりを持っているかもしれないが、その詮索はここではしない。

ただ、忘れるべきでない重要な事実は、幕末から明治期の日本人が、驚くべき熱意と工夫によって、ヨーロッパの学問を取り入れるために、それらを日本語に翻訳した、という点である。ここで言う「翻訳」とは、単に横のものを縦にする、という意味ではない。そもそも自分たちのなかに本来的に存在しないような外来の体系を取り入れるためには、それが言わば「外来の文化的体系」であって、既成の、自分たちに馴染みのある体系とは異なるものであることを、受け入れる側が熟知できなければならない。そうでなければ、「外来の」文化を理解したことにはならない。それを日本語として、日本語のなかでも確認できるような形にするためには、どうすればよいか、という問題認識に基づいて、既存の言語体系のなかには存在しなかった新しい言語体系を造り上げたのが、明治の「翻訳」の仕事であった。「翻訳調」として、しばしば問題になる「日本語」は、実は「科学」「社会」など無数の、外来の諸概念を表現するための新造語の創出とともに、それを可能にするための日本人の生み出した貴重な工夫であったと考えるべきであろう。

科学と言語

しかし、科学(のみならず「学術」一般にそうであろうが)の場合には、もう少し複雑な構造がある。科学を生み出したヨーロッパにおいても、科学における諸概念は、日常的な経験に密着するものではなく、むしろそこからある程度の距離を置くことによって初めて成立する。そして、日常的な言語に依存することは、しばしば、その「距離」を見失わせることになる。

例えば「重力」という言葉が、当初は日常的な用語である〈attraction〉が用いられていたのが、やがて日常的には使われることの少ない〈gravity〉という専用語が造られて使用されるようになる、という事情が、その間の消息をみごとに物語っていると考えられる。日常語の張る意味の空間から、何程かは抜け出さなければ、科学は成り立たない。とくに専門化すればするほど、この状況は深刻になる。科学の世界が、個別領域において、高度の専門用語で語られるのも、決して高踏趣味の悪癖からではないのである。

その意味では、ヨーロッパ語圏の人々にとっても、科学の領域は、一つの「外来文化」なのである。

この点に関連して興味深い現象が現代物理学の世界に見られる。素粒子物理学では、素粒子の持つ性質を表現するのに、わざわざ「チャーム」「フレーバー」「ストレンジネス」などの、日常的な言葉を当てている。これは、あまりに抽象化されて、日常的な経験と直接繋がらないような概念になってしまった、その世界に、せめて言葉づかいの上だけでも日常的な彩りを与えたい、という配慮や、そうした状態を洒落のめす一種の諧謔《かいぎゃく》など、幾つかの要素が重なった結果であろう。

それはともかく、専門的な科学の世界は、こうして、あらゆる日常語から、それなりの距離を置いた世界として、構成されている。

科学という文化

現在日本でも、理工系の大学では、大学院の入学試験に、外国語を二種類指定するところは稀になってきている。外国語の試験科目は英語だけ、というところが圧倒的に多い。

この事実は、科学の世界の使用言語が、英語に絞られてきていることの正確な反映と考えることができる。もともと例えば一九二〇年代のコペンハーゲン、N・ボーアのもとに世界中から物理学者たちが集まったが、そこでの公用語は「ブロークン・イングリッシュ」だったとボーア自身が述懐していることからも判るように、物理学の世界では、英語が多く使われてきた。そうした状況は、さらに進んで、あれほど自分の言語に拘わるフランス人でさえ、この事態に抵抗することの難しさを今日味わっている。

しばしば「英語帝国主義」と呼ばれるこの現象は、さらに本来は学術の世界での国際的なネットワークであったインターネット上の用語が英語であることも加わって、ますます加速される状況にある。

しかし、これまでの考察からも明らかなように、たとえ英語といえども、科学の世界と直接繋がっているわけではない。つまり、科学における公用語が英語である、という事実は、英語文化の帝国主義的侵略をそのまま意味するものではない、と言うべきなのである。

というのも、科学を学び、科学の世界で研究者としてやっていくために、英語文化圏の言語空間のありようを身に付けることはさしあたって必要がないと考えられるからである。要するに科学の言語としての英語を身に付けておけばよいのであって、それがつまり科学の公用語は「ブロークン・イングリッシュ」だということにもなる。

もちろん急いで付け加えるが、今日科学の国際舞台で研究者として「成功」するためには、英語文化圏の、とりわけアメリカ社会で成功するための行動様式を身に付ける必要は大いにあるかもしれない。他人を押しのけ、他人を利用し、謙譲を悪徳と考え、徹底した自己宣伝を図るような研究者こそ、ノーベル賞に最も近い、とさえ言われるからである。しかし、そのことと、これまでに述べてきたような側面とは、明らかに文脈の規模が異なる。

科学も文化の一つではあるが、知識論に限って言えば、それは、本来の意味での文化に拘束されるというよりは、むしろ、それ自体が、本来の意味での文化からは何程か離脱した、それゆえ誤解を避けずに言えば「無国籍」の文化である、という側面があることを否定できない。

そして、この「無国籍性」こそ、科学が「普遍的」と言われる所以でもあると思われる。一つの実例を挙げておこう。フランスのグルノーブルに英仏の共同出資による強磁性の研究所がある。この研究所は、完全に英仏がイコール・パートナーの形式をとった組織であり、責任者も交代で務めることになっている。研究者もほとんど同数が英仏から参加している。言語も英語、フランス語の双方が公用語で、学問上はそれで全く問題は起こらない。ところが、一旦学問を離れて日常的な生活に関わることになると、英仏それぞれの「文化的」な差異からくる軋轢《あつれき》が常に起こり続けていた、というのが、たまたまその研究所にいた日本人の観察であった。

この観察は、科学の世界は、日常的な文化からは一応独立している、という私たちの結論を、正確に裏付けるものであろう。

2 技術の場合

技術の文化依存性

技術一般が、極めて強く文化に依存してきたことは、すでに触れた通りである。しかし、近代(産業)技術は、そうした文化の差を超えることができるのではないだろうか。

確かに現代の産業技術の一部は、ほとんど無人化された工場の場合が典型的にそうであるように、ベルツの言い草ではないが、切り花のように、どこへでも移植可能と言えないこともない。しかし、そうした無人化された工場は、建設地を選ばないとはいっても、それで、その技術が当の現場に根づいたことにはならない。そうした現場で、現地雇いの人々が働く機会は、計器の見張り程度の単純な場面で、真の意味での運営・管理は任され得ない。

四半世紀前のことになるが、国連大学が「近代化――日本の経験」という国際シンポジウムを開催したことがある。主としてアジアの途上国からの参加者を相手に、日本のスピーカーが、近代化の経験を語るという企画であった。水俣をはじめ、時あたかも日本社会の公害問題が、最も深刻な様相を見せているときだったこともあって、日本側の「良心的」なスピーカーたちは、そうした日本の轍を踏まないように、熱心に訴えた。ところが途上国からの反発は思いのほか厳しかった。多くの参加者が、自分たちはそんなお説教を聞きにきたのではない、日本がどうして公害を生み出すほどの近代産業を構築し得たのか、そのミラクルの裏にある秘密をこそ学びにきたのだ、とこもごも論難したのであった。

もちろん今では事情がすっかり変わっている。その上、そうした機会に国際会議に参加する人々が、当の途上国の民衆のこころをそのまま代弁していたわけでもない。そうした人々は、彼等の国では指導者層に属し、自分たちの社会の民衆を近代化に向かって動くように日夜苦労を重ね、あるいは、それがなかなか実現しないことに苛立ってもいる、というのが実状であって、日本のスピーカーの発言は、そうした人々の感情を逆撫でることになったのでもあろう。

この出来事は、近代化という大きな文脈のなかで考えるべきことであって、近代技術、ましてや産業技術それ自体についての問題点ではないかもしれない。しかし、科学が、とりあえず日常の文化からある程度離陸し、あるいは離脱して、それなりの「普遍性」を獲得したかに見えながら、基本的には個々の科学者共同体の内部で自己完結し、自己閉鎖的であるのに反して、言い換えれば、その限りにおいて、一般の人々の生に直接は関わらずに済ませられるのに反して、技術は如何なる場合でも、その生活圏に住む人々の生と直接切り結び、人々の価値観や人間観、あるいは死生観を反映するものとならざるを得ない、という点で、科学とは事情が異なっていることを無視するわけにはいかないのである。

もちろん第Ⅱ章でも明らかにしたように、現在は科学もかなり変質した部分を抱えており、研究それ自体はともかく、それが行われる形態や、そこから得られる科学的知識の社会的利用に関して、従来のような自己完結性や自己閉鎖性が貫徹できなくなっていることは確かである。そしてそういう状況では、科学もまた技術のありように近づいているという指摘もできるだろう。また化学(正確に言えば「有機化学」だろうが)のように、一九世紀の制度化の当初から、すでに「技術」的側面を見せていた科学の分野もないではなかったから、ことはそう単純ではないとも言える。

技術の効率

さらに、技術は常に目的を持つものであるから、目的達成に関する「効率」によって、限定された意味ではあるが「普遍性」を持つ、という点を指摘しなければならない。例えば一九世紀アメリカの風土のなかから立ち上がった「アメリカ的製造方法」を考えてみよう。

一九世紀初頭のアメリカは、例えば銃器もほとんどがヨーロッパからの輸入に頼っていた。そして、それらの銃器は、職人が一挺一挺手作りで製造したものだった。熟練した職人層が手薄だったアメリカでは、大量の銃器の調達は大陸の力を借りなければならなかったからである。

しかし、一九世紀初頭、アメリカ東北部の銃器製造業の間に、部品の標準化という着想が生まれた。規格を統一して、同じ部品を大量に生産し、それらを組み立てることで、小銃や拳銃を製造すれば、損傷によって失われたものから、健全な部品だけ集めて組み立て直すことも可能であり、また品質管理、製造過程のライン化などが容易になる。「ライン化」というのは、牛の解体作業から思い付かれた、という言い伝えがあるが、真偽はともかく、こうしてアメリカの銃器産業は、次第に「ライン化」した製造方法を採用するようになった。

この状況は次第に他の業種にも普及していくことになる。自転車、時計、ミシンなどの産業が次々にこうした方法へと切り替えていき、一九世紀半ばには、それはヨーロッパにも「アメリカ的製造方法」として知られるようになった。最終的には、二〇世紀初頭のフォード（モデルT）のような自動車産業で目覚ましい成果を挙げることになるこの方法は、しかし、効率という点で抜きんでていたために、ヨーロッパにも普及し、かつその後の近代産業技術の基本を形づくることになった。つまりある意味では「普遍化」したのであった。

しかし、効率という点だけでは、技術が「普遍化」しない例も、いくらでも見出すことができる。例えば、臓器移植技術は、確かにある種の疾病にとっては効率のよい治療法であるにも拘わらず、つい最近まで、日本では定着しなかった。遺伝子組換えの技術を利用した植物食品の多くは、臓器移植技術よりははるかに有用かつ問題も少ないと思われるのに、日本では未だに強い忌避にあって、製品としてでさえ、取り入れられることが少ない。

逆に、清浄な空気が品質管理の効率の上で決定的に重要であることが明らかな半導体技術にあっても、作業現場で靴を脱ぐ、というたったそれだけの日本発の技術上のノウハウを、アメリカに定着させることがどれほど困難であったか、アメリカに進出した日本の関係企業の経営者なら誰でも骨身に沁みて知っているはずである。

こうした点は、現代の最も先端的な技術でさえ、ある程度は日常的な文化に束縛されており、それを超えることには大きな困難があることを示している。さらに、最も先端的な産業技術でさえ、それだけで空中に浮遊しているように存在するのではなく、それを支える周辺技術の存在なくしては成り立ち得ない。中小企業に隠れた形で組み込まれている様々な基礎技術、金型、ネジ、素材管理などから、それらを実際に動かしていく熟練したスキルの集積こそ、先端的技術力を可能にする。日本の首都圏で言えば、京浜工業地帯に散在するこうしたスキルの集積は、日常的文化と伝統の所産である。

つまり、技術とは、そうした全体的な統合の上に築かれるものであって、つまりは日常的な文化のなかに組み込まれたもの、ということになるだろう。

もちろん、そうであっても、近代技術は、大きな目で見れば、そうした日常的な文化から生まれてくる文化依存的な要素をも、貪欲に取り込んで、自らを太らせ、また自らの変容にも、比較的寛大である、とも考えられる。つまり、近代技術は、その意味で、様々な日常的文化に依存するヴァージョン、A文化のなかでのAヴァージョン、B文化のなかでのBヴァージョンというような形態をとっていることにもなる。

したがって、近代技術であっても、それは東洋からの働きかけを無視したり、東洋的要素の介入や混入を拒否してきたのではない。

3　新しい世紀への展望

近代文明を駆動させるエンジン

しかし、それでは上に考察したような科学／技術が、二一世紀にどのような経過を辿って進展するのか、あるいは進展すべきなのか、そこに東洋はどのように絡み得るのか。これが本章での答えなければならない課題である。

この課題への答えは容易ではない。しかし、少なくとも、どのように進展すべきか、という点に関して、私の希望する姿、期待する姿を描くことは許されるだろう。

一つのポイントは、今後の科学／技術が、これまでの単なる延長上にあることは許されないのではないか、というところにある。少なくとも、技術が目指す目標は、変わらなければなるまい。それを導く要素の一つは、言うも陳腐ながら資源・エネルギー・環境上の制約である。資源、エネルギーを事実上無限と想定し、また環境の持つもろもろの処理能力をも無限として想定する、というのが、近代科学／技術が立てた前提であった。この前提はとっくに取り下げられてはいるが、しかし、技術を支える主たる枠組みは、依然として、旧来の、つまり取り下げられる前のそれを根本的に変えてはいない。

もちろん、それが変わらない原因の主たるものは、近代技術が達成した「利便性」や「快適性」を失いたくない、という近代社会の構成員の意識であることは指摘しなければならない。それどころか、技術は人々の限りなく広がる快適性や利便性の欲求に可能な限り応えようとし、また逆にそれに過剰に応えることによって人間の欲求の限界を野放図に拡大し肥大化させる、という悪循環(第V章でもその点に触れている)は、それを止め得るブレーキのないままに、拡大の一途を辿っている。

この近代文明を加速させるエンジンの制御なしには、恐らく二一世紀以降の未来は、人類にとって極めて悲観的な様相を呈するだろう。

期待される姿

近代文明に組み込まれたこのエンジンは、しかし、単に、例えば「足るを知る」という東洋の古賢の説くスローガンを掲げることによって制御できるようになるものでもなく、またそれ自体は重要な東洋の「自然に寄り添う」という理念を説くことによって人々の意識改革を願うだけでは、そのエンジンにブレーキを用意することもできないだろう。

問題は、どのように社会制度の面で、そのなかで、科学／技術にどのように働いて貰えばよいか、という点に見通しを立てながら、そうした理念の実現を保証し、あるいはスローガンに現実の支えを用意できるか、というところにある。

一つのポイントは、技術の目標の設定を制度的に変更することである。例えば「現代のわれわれの快適性・利便性」ではなく、「将来の世代の安全性」へと、技術の達成すべき目標を変更することである。

そのためには、すでに地球上に溢れてしまった「人工物」の管理、自然への還流を実現できる社会制度を、社会のインフラストラクチャーとして整備し、そこに奉仕する技術開発を、政策課題として強力に推進する、というような施策を、中央政府や地方政府が実施することも必要になろう。

科学も、狭い領域での自己完結性・自己閉鎖性から抜け出して、そうした領域を横断するような総合的な視点で、知見を積み重ねることが求められるだろう。例えば、環境を相手にするとき、海洋科学、気象学、森林学、化学などの、自然についての科学的学問のほかに、ある種の経済学や社会行動学などからの協力さえ不可欠のものになるだろう。環境問題はあたかも「自然」の問題であるかのような錯覚が、未だに存在するが、実はそれは徹底的に「人間」の問題だからである。

そうした総合的で横断的な科学の前線が組み上げられるように、行政の面からも、学会や科学者共同体の面からも、組織や制度の改革が必要になるだろう。

科学は確かにプロトタイプのもののなかにネオタイプが混じり始めることによって（第Ⅱ章参照）変質しつつあるが、さらにこのような変革によって、自己完結性と自己閉鎖性とから解放された新しいタイプの科学の誕生にいたる可能性が生まれる。一つ一つの個別領域が縦貫的に造り上げてきた在来の科学が、それゆえに掬《すく》い落としてきたものに目を向け、それらに正当な知識としての場所を与えるための、新たな枠組みの構築こそが望まれる。

このような新しい科学/技術成立に関わって、東洋の思想や自然観や人間観が大きな寄与をする可能性があるかどうか、という問いに対しては、ここではただ否定的な答えしか予想できない、と断定する根拠はどこにもない、と答える以外にはない。

確かに、東洋を起源とする発想のなかには、総合的かつ非分析的な利点を強調するようなものがある。そうした発想が、新しい枠組みの構築にヒントを与える可能性は十分に考えられる。とくに現代の科学の普遍性が、すでに見たように個別領域の自己完結性・自己閉鎖性に由来する、という本章での考察の結論を受け入れるならば、そして新しい科学(技術)の枠組みが、この自己完結性・自己閉鎖性からの離脱を前提として初めて構築し得るだろうという推測が多少とも妥当であるならば、新しい科学（技術）の枠組みが、そうした異質の文化的発想に対しても開かれているという論点は、ほとんど論理的に導出できるからである。

考えてみれば私たちは、実に面白い時代を通り過ぎつつある。

V

科学／技術と生活空間

1 伝統技術と生活空間

文化と技術

技術一般を考えたとき、それがほとんど人間の存在そのものと関わってきたことは明らかである。どのような進化を辿ったにせよ、人類が誕生して以来、技術がその生活を支えてきたからである。文化を、人間の生活の営みに関わり、それを一定の範囲のなかに規定する、有形、無形のすべての制度、慣習、行動規範と定義するとすれば、当然ながら、ある社会の持つ技術体系は、すべて文化に属する。

農耕社会においては、穀物栽培がその根幹を占めるが、単品種濃厚栽培を行いつつ、年々それなりの収穫をあげるために必要な知識(多くの場合その知識は、ノウハウとしての知識であり、技術との区別は極めて曖昧である)というものを考えてみよう。

第一に天文学の知識が不可欠である。年間のどの時期に種を蒔き、どの時期に収穫するか、という最も重要な農作の節目を中心に、農事暦をつくり管理するためには、天文学的知識が決定的に重要になる。観測、記録、計算などのための器具、用具からソフトな技術にいたる一連の技術知が、農耕社会においては必ず生み出され、かつそれが社会全体とその成員の振舞いを規定する。これに伴って、気象に関するノウハウ、土壌、水などに関するノウハウ、植物や害虫、益虫などについてのノウハウも欠かせない。

第二には、穀物の貯蔵に関する体系が考えられる。穀物の特徴は、翌年まで持ちこして貯蔵が可能であり、それを管理しつつ適当に配分すれば、社会の成員は安定した食料の供給を期待できるところにある。この点こそが、農耕社会の最大の利点である。そうだとすれば、大量の穀物を貯蔵するためのノウハウは、やはり農耕社会にとって不可欠となる。ここで言う「貯蔵」のノウハウとは、倉庫に絡む貯蔵技術だけではない。倉庫に貯蔵された穀物を、不時の略奪から守るための警察や軍隊の機能、管理するための権力機能、分配の際の優先順位としての階級的分離のための規定などにまで、発展すべき極めて広範な技術システムである。

第三に、穀物の特徴は、長期にわたって貯蔵可能な食料であるというところにある、ということは今見たところだが、その特徴は、そのまま食料としての穀物の短所にもなりかねない。というのも、獣類や魚類の肉や果物は、本来何の手も加えないで食べることができるが、そのことが同時に長期貯蔵を困難にしているのと同様に、穀物は長期貯蔵可能であるが、調理抜きにそのままでは食料にならないからである。言い換えると、穀物に依存する食生活というのは、必然的に、調理に関する様々な技術を生み出すことになる。火のコントロール、調理用の器具、調度品の製造などなど、料理に関するすべてのノウハウは、穀物依存の生活に発していると言ってよいだろう。

技術の囲い込み

そして、この意味での技術は、最初に述べたように、人類の存在するところのほとんどすべてに見出すことができる。人間の生活空間は、まさしく農耕という行為に由来する技術を軸として組み立てられている。

ここで、知識と技術との関係は、分離不可能であることにも注意しておきたい。そのためにノウハウというカタカナ語を敢えて使ったのだが、「どうすればよいか」という問いに対する答えを用意するものが「ノウハウ」であるとすれば、人間が生活していく上で繰り返し発せられるこの問いに対する「ノウハウ」を与える総合的な体系として、知識と技術との組み合わせが機能してきた。

このときの知識は、現代の科学のような、知識として独立したものではなく、むしろ、生活経験に裏打ちされた、いわゆる「暗黙の知」を中心にしており、それ自体が人間の生活空間そのものでもあった。

もちろん、天文を読む専門的技術者は、ほとんど農耕社会の最初から権力者の傍らにいたし、技術のなかでも最も典型的なものつくりの専門家も、早くから分業化して存在した。こうした専門的技術は、一般の生活者から見れば「特殊」な空間のなかに隔絶された存在であったことは確かである。彼らは自分たちのなかに培った技術を専有化し、許された同業者の間でのみ技術が蓄積され、伝承されるように図った。

日本では、編暦の技術は独自にはあまり発達しなかったが、それにもかかわらず、編暦は陰陽寮のなかの暦博士が世襲で独占したし、その独占形態は、内実はともあれ明治維新まで崩れなかった。

工業的な技術でも事情はあまり変わらない。例えば大陸の影響はあるにせよ日本で独自に発展した製鉄・製鋼の技術である「たたら」は、一方で「村下《むらげ》」と呼ばれる「親方」を頂点とする技術者の組織があり、他方で、場所と膨大な量の燃料(木炭)を提供する地方の豪族がある、という形態のなかで、実施されてきたものである。彼らのつくる空間は、江戸時代には、一種の治外法権的な空間であり、一面から見れば「無宿」者の駆け込み寺のような役割も果たしたが、それ自体は一般の生活者の目からは遠ざけられた世界であった。

もちろん、技術がそうした隔絶された空間のなかに閉じ込められがちになる理由は、必ずしも技術に内在する論理だけにあるのではない。例えば「たたら」の場合には(と書いたが、実は多くの伝統技術には大なり小なり同じ傾向、同じ性格を見て取ることができる)、そこには宗教的儀式性が絡んでおり、儀式の持つ密室的な本性が、技術を社会から隔離することに寄与していることは見過ごせない。

しかしこのことを逆に考えれば、こうした場合、技術は宗教的色彩を帯びることによって、自らの神秘性を確固たるものにし、あるいは技術に携わる者の技術専有を正当化する、ということになるのかもしれない。

いずれにせよ、近代以前の技術が、多くの場合、その現場を囲い込み、それに携わる人々を「特殊化」してきたことは、一面での事実である。

実際、近代化と呼ばれる一連の過程のなかで、このような伝統技術の密室性が批判の対象になり、とりわけ、その伝承の装置に関して、大きな変化が生じたことは、記憶する必要がある。ギルドにおいて「親方‐徒弟」制度に囲い込まれた技術の伝承制度を開放し、学校という、基本的には誰もが利用できる教育機関にその機能を委ね始めたのは、一九世紀のことであった。

生活空間としての技術

しかし、そうした技術の現場と、技術の伝承形態の密室性にもかかわらず、技術は別の面では、生活者の生きる空間と共にあったことも否定できない。その事実は、技術が可視的であった、と言い換えることもできるだろう。生活者は、自分の生活を支える様々な技術の成果が、どのようにして自らの手にありうるのか、という点に関して、十分な認識を持つことができた。大工、鋳掛《いか》け屋、石工などの職人は自分たちの身近に同じ生活者として存在し、彼らに何を頼めばよく、何をして貰えるかが、一般の生活者にはよくわかる状態にあったと言えるだろう。

その意味では、技術の流れが可視的な形で社会の空間のなかにインストールされていたと表現してもよい。この可視性は、過去の伝統的な技術の持つもう一つの興味深い性格と関係する。

生活者の方は、自らが生活するための必要性から、技術およびその成果を利用し、また利用しようとするのではあるが、そして、この生活者と技術の関係は、前述のような社会のなかでの技術の可視性によって、非常にわかり易い形で保証されていたのではあるが、その「必要性」という概念に関しては、逆に生活空間の方が、その範囲をほとんど一方的に規定していた、という事実を忘れるわけにはいかないのである。

過去のある時代に、ある共同体に生きる生活者にとって、何が必要であり、何は必要でないか、を定めるのは、一般的には、生活者自身ではなく生活空間の側であったからである。

例えば、江戸時代には士族身分以外の人々にとって、銃はおろか刀剣さえ、必要とされなかった。あるいは必要とされるべきでなかった、と書いた方がより正確だろう。刀鍛冶や鉄砲鍛冶という技術者の張る技術空間との接触は、たとえその人間に固有の事情から「必要」が生じたとしても、それを包摂する社会空間全体がそれを許さなかった。

それは法律で禁止されていた、という意味ばかりではない。一人の人間が何を望み、何を求めるか、というときに、その人間が生活する空間そのものが、その望みや希求の範囲を最初から限定していた、という事情がある。誰もが、生活空間全体が規定する以上の望みや希求を持たない、という事情のなかで、それに応えるべき技術は、歴史的、伝統的に社会が必要とする事柄に対応する成果を社会に対して提供すれば、それで役割が果たせてきたのであった。

この点は、技術を守旧的かつ保守的に保つことに役立った。現代社会でしばしば高い価値を持って語られるイノヴェーションやブレークスルーは、むしろ伝統的技術のなかでは求められる余地がなかった。社会の要求と技術の対応とは、安定した緊張関係のなかで、ほぼ恒常状態を保っていた。この点は技術の伝承制度にも反映されていた。親方‐徒弟制度は、親方が、自らが徒弟時代に親方から受け継いだ技術を、自分の徒弟に正確に継承させることを主眼としていた制度であって、これもまた技術の守旧性、保守性と対応した伝承手段であったと言えるだろう。

生活空間のなかで、人々が求める事柄と、それに対応しようとする技術の側の反応との間の、このような安定した定常状態は、近代とともに崩壊することになった。

2　近代技術の基礎

近代技術とは

近代技術の定義は、易しいようで、そう簡単ではない。科学との関連を性格づけの一つの要素としたくなる誘惑は存在するが、それは現代技術を特徴づけるとしても、近代技術には一向に当てはまらない。しかも、技術を問題にしようとすれば、とりわけて西欧絡みの文脈だけで論じることがどれほど無意味かは、現代のわれわれとしては、骨身に沁みて知っているはずである。

しかし、ここでは、それによって技術を代表させることの一般的不当さは十分に認めた上で、一九世紀以降の欧米に出発点を持つ独特の技術形態を、近代技術として考えることにしたい。

その理由は幾つかある。第一には、西欧では、一九世紀になって、技術形態に大きな変化が生じたことである。すでに述べたように、それまでの技術の伝承制度は親方‐徒弟制度であって、その性格上守旧的で保守的であった。しかし、一九世紀になると、この状況は維持できなくなった。一つには、ギルドと親方‐徒弟制度というのは、閉鎖的な組織であって、そこに加盟を許されることは、秘密結社に加わるような意味合いがあったし、またそこで永年にわたって修業を重ねて初めて一人前の職人として、社会で活動ができるようになるというのがしきたりだった。しかしながら、このような事態は、職業選択の自由に反するという判断が、社会の近代化につれて次第に大きくなってきたことが挙げられる。

もう一つは、市民革命による国民国家の形成(その最も根源的な実例は、フランス革命に見られる)は、国家の運営に一般の市民が直接関わることを意味するが、しかし、国家運営のための技術は、それまでは王侯とその宮廷官僚に専有されており、一般の生活者、市民は、そのようなノウハウは全く持ち合わせていなかったのである。

軍事技術や公共的土木事業などはもちろん、租税徴収、その配分などのソフトな技術に関しても、一般の生活者たちが政治に携わるに当たっては、どうしてもどこかで学んでおかなければ、国家はたちまち存亡の危機に立たされる。フランス革命の末期に、こうした国家運営技術を教育する組織としてのエコール・ポリテクニークが創設されたのは決して偶然ではなかった。

このように技術を学校で習得する、という状況は、すでに見たようなギルドや親方－徒弟制度とは根本的に異なり、意志と能力さえあれば、誰もが、そこで学ぶことができる、という意味で、全く新しいものだった。エコール・ポリテクニークは、国家運営の技術に関わったが、一般の職人的技術に関しても、次第に公的な学校が建てられるようになり、少なくとも伝承の形態に関する限り、西欧では一九世紀半ばには、大きな曲がり角を曲がったと考えられる。

そしてこのことは多くの結果を生み出した。前述のような、守旧性、保守性を本来の姿とするギルドや親方－徒弟制度のような在来の組織と異なり、学校には、閉鎖的な性格は育たず、したがって、新しい工夫やブレークスルーを受け入れ、あるいはそれを生み出すことに対する抵抗も存在しなかった。

その上時代はちょうど「産業革命」が並行して進行していた。どちらが原因でどちらが結果なのか、その点は明確には言い難いが、いずれにせよ、新しい工夫やブレークスルーが、技術の世界に噴出する時代を迎えていた。

こうして技術は、学校という制度のなかにインストールされた結果、社会の共通の財産として理解されるようになった。この状況と並行して、西欧社会自身が、構造変革を経験しつつあった。

文明のイデオロギーと技術

近代化の徴候をどういうところに捉えるか、という問いを立ててみると、一つの可能性として、「文明化」であるという答えを用意することができる。「文明化」という言葉をヨーロッパ語に直すとすると〈civilization〉としか言いようがないだろう。つまり「文明」そのものなのだが、では「文明」というヨーロッパ語のなかに含まれている「……化する」という意味内容は一体何なのだろうか。

言い換えれば〈civilize〉、つまり「〈civil〉化する」と言う場合に、その対象となるのは一体何なのだろうか。〈civil〉は「都市」に近い意味を持つから、この言葉が、直訳的には「都市化する」ことに等しいことは推測できる。では「都市化される」のは何か。当然「自然」と答えるべきだろう。ここでは「自然」は、特に人の手の入っていない「野蛮な」自然は、価値の低いものとして位置づけられ、それに対して人間が人間として望ましい価値を付与すること、それが「文明化」の意味するところであった。いや、むしろ「文明」とは、そうしたイデオロギーそのものであったと言うべきだろう。野蛮な自然を、徹底的に人間の手で、人間のために管理し、支配し、矯正することこそ、「文明」の理念そのものであった。人間の、人間による、人間のための自然、それが文明における自然観であった。

そして、この文明のイデオロギーを実践していくために、人間の手に用意されている道具、それが技術である、という形で、技術を定義し直すことが、一八世紀以降の西欧世界の「文明」のなかで遂行された。技術は文明の理念の実現と直接結びつく形で新たな規定を受け、新たな役割を与えられることになった。このような形で定義された技術を、近代技術と呼んでおきたい。

人間の解放

文明のイデオロギーと結びついた近代化の理念には、もう一つの重要な契機が存在する。それは「人間の解放」というイデオロギーである。近代技術は、実はこのイデオロギーとも深く関連している。

というのも、「人間の解放」という概念は、前章でも触れ、また前節の「伝統技術と生活空間」で述べたように、生活空間そのものが、人間の望みや希求の限界を設定してきた過去の状態を否定し、生活者個人に対して、原理的な自由を保障することを標榜したからである。伝統や習俗と呼ばれる規範、生活者の合意なしに、ただ社会のなかで因習的に認められてきた様々な規範に、生活者が無批判に従うことを否定したからである。そうした規範の一つ一つを洗い直し、合理的な根拠がないと判断されたときには、躊躇《ちゅうちょ》なくそれを捨て去ることを推奨したからである。

生活者個人は原則的に自由であり、自分の望むところを実現する権利を有している。それを妨げるべきものがあるとすれば、それは他者の権利の侵害への配慮、あるいは公共の福利への配慮という点のみであり、生活空間は、個人の持つそうした権利を、自由に実現するための場にほかならない。「人間の解放」という理念は、こうしたことを謳い上げたのであった。

このような生活空間のなかでは、個人は自らの意志や希求に関わりなく生活空間から受け取る規制を、すべて悪として斥けることになる。したがって、生活者の生活空間は、各個人が他人の権利との兼ね合いのなかではあるが、自らの欲するところを、無限に追求する場となり、かつての生活空間とは全く異なる新しい相貌を呈するようになったのである。

技術はこのような場のなかの強力な手段として位置づけられることになる。その結果、技術と生活者の望みや希求との関係は、かつてのように安定した恒常状態を維持することは不可能になった。生活空間のなかで無限に拡大する各個人の望みや希求の提示に対して、それを能う限り充足させるために、技術もまた無限に「進歩」し、「拡大」しなければならない状況に追い込まれることになった。

近代技術を支える社会的構造は、このような特徴を具えていると考えられる。したがって多くの場合近代技術は、産業技術、あるいは工業的技術として規定されるし、そのこと自体が誤っているわけではないが、その本質は、飽くまでも上のような社会構造の変化、つまり社会の構成員の希求や欲望の飽くなき充足という新しい目標を前提としたものであることは、確認しておく必要があるだろう。

近代技術の成立

そうした社会構造は、時代的に見れば、資本主義の生育期に重なっていたことも示唆的である。いうまでもなく、資本主義の根本は、社会の成員の間の制限を設けない競争という理念にある。社会の一人一人の成員が、自由に望むところを最大限に追求することを、社会の進歩の源泉と考えている。この基本理念は先に述べた文明のイデオロギーの経済版にほかならない。

そして、この時期になって、技術は、そうした資本主義の理念によって動かされ始めた産業のなかにインストールされるようになったのであり、というよりは、むしろ近代産業そのものを立ち上げるための道具という形での役割を積極的に演じ始めることになった。

ヨーロッパ大陸やイングランドでは、教科書どおりの産業革命のなかで、繊維産業の「工業化」が一九世紀半ばまでに完了したが、そこでは、蒸気動力による機械化という、最も典型的な近代産業技術が形成された。より効率的に、より大量に、望まれる製品を製造するための「技術化」が、近代産業の出発点であった。

いうまでもなく、こうした新しい産業形態は、手工業の時代には予想もされなかった大規模工場に拠る生産方式を生み出し、人口の都市への集中、労働者階級の出現とその劣悪な労働環境・生活環境など、社会問題をもつくり出したが、ここでは、その点には立ち入らない。

一方アメリカでの産業技術は後発的であるがゆえに、ヨーロッパ大陸とは多少異なった展開を見せた。一九世紀初頭まで、銃器はすべて一挺一挺手作りで供給されていた。この点はヨーロッパ大陸でも同じであり、むしろいわゆるマスケット銃と呼ばれる最も普及度の高かった小銃の大半は、ヨーロッパ大陸からの輸入によって賄われていた。しかし、一九世紀初め、アメリカ東北部に始まった新しい動きが、アメリカの産業技術をヨーロッパ大陸に先行させる境位を開いた。それは部品の標準化という動きであった。

銃器産業に出発した部品の標準化運動は、たちまち、自転車、ミシン、時計などの産業へと波及したが、この製造技術は、大量生産とともに品質管理およびメインテナンスへと進む道を準備することになった。というのも、部品の標準化は、生産工程のライン化を可能にし、そこから品質管理という概念が生まれたし、また標準化された部品を常に提供することによって、補修や修理の管理が容易になったからである。こうした方法は「アメリカ式製造技術」として、やがてヨーロッパ大陸へも知られるようになる。

このような方式の製造技術の一つの頂点が、二〇世紀初頭にアメリカに生まれたT型フォードであった。T型フォードの出現は、アメリカの道路を変え、州の孤立性を変え、性道徳まで変えた、と言われる。道路の整備や州間の関係の変化はともかく、何故、性道徳と関わりがあるのか。それまでは金持ちの独占であった自動車が、若者たちの手の届く商品になり、彼らは親の目の光っていない密室空間を容易《たやす》く手に入れることができるようになったことが、性道徳を変える大きな一因となった、という分析がアメリカにはある。

自動車普及の影響は大きかったが、下世話な言葉を使えば、何でも商売にしてしまう、という資本主義的雰囲気のなかでも、最も新奇な世界を切り開いたのは、エディソンによって代表される電力・電気産業であろう。

電灯、蓄音機、映画など生活者の生活そのものに関わってくる新しい「文明の利器」と呼ばれる技術的成果、そして、そうした成果を成り立たせる基本である電力の集中供給システムなど、電気産業と呼ばれるもののほとんどすべての出発点を用意したのがエディソンであったことはよく知られている。

ここではしかし、その技術的な内容よりも、それらがもたらした生活空間の変容について語ることにしたい。

大衆の欲望

確かに近代産業技術の発展は、初期の軽工業から、次第に重工業へと移行し、一九世紀末には、鉄鋼業の興隆を迎えた。鉄鋼業の製品は、間接的には、大衆の生活を変えたが、直接的には、造船・造艦、鉄道、橋梁、大規模な建造物などに吸収されるのが通常のルートであった。しかし、電力・電気関係の技術の進歩は、その成果が、文字通り「大衆」と呼ばれる新しい生活者層をつくり出し、かつ彼らに奉仕する役割を果たし始めた。

「大衆」とは新しい社会層である、と書いた。もちろん一九世紀までにも、一般の生活者は存在した。しかし、彼らは「大衆」という形で、一まとめに扱うことのできるような社会層ではなかった。というよりも、ここで「大衆」が誕生したというのは、社会の構成員のなかに、「大衆」と呼ばれる特別なグループ、特別な性格づけを持った個人の集合が誕生したことを意味するわけではない。むしろ、生活者一般を対象としてある活動体が働きかけるときにとられる新しい姿勢、新しいスタンスこそが、「大衆」の創生と結びついていると考えるべきだろう。つまり「大衆」として社会の構成員、生活者を一まとめに扱う、その扱い方が、従来にはなかった新しい生活者の扱い方であり、それが「大衆」という社会層を生み出したものなのである。

その最もよい例が「放送」という技術革新である。書くまでもないが、放送に当たる英語は〈broadcasting〉である。直訳すれば「広く投げかける」ことである。放送の対象になる個人は、一人一人として取り出したときには、工場労働者であったり、資本家であったり、作家であったり、音楽家であったり、……つまり「大衆」という呼び名で十把一からげにされるような存在ではない。しかし、放送という概念は、聴取者のそうした個性や特性を一切捨象した、不特定多数の、抽象的かつのっぺらぼうの「大衆」という存在を前提にして、初めて成立するものと言わなければならない。

かつて活字文化もそうであった、という言い分は、妥当性を欠いている。何故なら、とりわけ二〇世紀初頭までのヨーロッパにおける活字メディアは、決して不特定多数の抽象的かつのっぺらぼうの「大衆」を想定はしていなかったのであって、知識人という明確に分節化された社会層だけが対象であったからである。フランスにおいて典型的なように、ヨーロッパでは、多かれ少なかれ、書き言葉は厳重に管理された特殊な言葉であり、それを操ることができるのは、それなりの教育を受けた特別な社会層に限られていたからである。

しかしラジオ放送は全く異なった媒体であった。内容は一方的に放送局から送られてくる。放送技術の進展はそれ自体興味深い過程を辿っている。もともとラジオという技術は、現在「市民ラジオ」などという言い方のなかに残っているような、個人どうしをつなぐ通信の一形態として出発した。しかも、その需要は、基本的には第一次世界大戦における戦場に求められた。最前線に貼りついた監視兵と、後方の味方の大砲の陣地との間で、着弾状況の報告や照準の修正のために使われた通信手段が、ラジオという存在を支えたのであった。

ここでは、ラジオは一対一の通信手段であった。しかし、この技術は、周波数さえ合致させられれば、「誰にでも」伝えられる通信手段でもあることに気付かれたときに、〈broadcasting〉というアイディアが生まれたのであった。

このときの伝えられる対象は、伝える側からすれば、顔の見えない、どのような特性を持つか、全くわからないような不特定多数、すなわち「大衆」ということになったのである。

二〇世紀初頭に始まるこのような「大衆」の出現は、放送の領域に限ったわけではなかった。放送は、この時期の社会の動き全体の波頭のような意味を持つにすぎない。ほとんどあらゆる社会の現場で、「大衆化」現象が起こった。そして、そこには常に技術におけるイノヴェーションが介在していた。

例えばすでに述べた自動車がそうである。もともと、自動車は趣味のものとして出発した。初期の自動車は、馬車よりも遅く、アメリカでは「赤旗条例」というような条例が布かれた地域もあったほどである。この条例は、自動車が往来を通行するときは、その前を赤旗を持った人間が、露払いのように旗を振りながら先導しなければならない、というもので、当時、往来の王者であった馬を驚かせないための措置だった。一方、交通の主役の馬車を自分で持つということは、特にヨーロッパ大陸では、貴族や金満家以外にはとうてい望めないことだった。御者を常時雇い、厩舎を経営し、馬を飼い、というようなことは、とても一般の生活者に望めることではなかった。すでに述べたように、そうした時代の生活空間は、馬車を所有する、というような望みを、一般の生活者が持つことを本来的に禁じていた、と言うことができよう。

しかし、T型フォードの出現は、この禁制を打ち破ったことになる。一般の生活者が、特定の社会階級の人々のみに許されてきたある種の特権を享受できる機会を、技術的進歩によって与えられることになったのであった。

同じことが写真についても言えるだろう。貴族ならば、自分の家族や祖先の肖像を、画家に頼んで描かせることができる。しかし、一般の生活者に、そのような望みを抱く余地は全くなかった。しかし、イーストマンの発明になる小型写真機とそれに関連するフィルムなどの一連の技術開発は、この望むべくもなかった望みを、一般の生活者に簡単に実現させることに成功した。

こうして眺めてみると、二〇世紀前半に欧米や近代化に踏み切った地域では、技術が、一般の生活者の生活のスタイルを変えたばかりではなく、欲望や希求の在り方を根本的に変えたという点が浮かび上がってくる。

近代化の建前として、社会の構成員が、他人の権利を著しく侵害しない限り、己の欲するところを最大限に実現し得る、という権利が保障されている、という原則が立てられたことはすでに述べた。文明のイデオロギーに従えば、人間は自らの欲し望むところを、自然から能う限り引き出すことを善と見なすことができることになる、という点もすでに述べた通りである。

そして今、「大衆化」という社会全体の動きのなかで、生活者一人一人は、もはや生活空間からいわれなき掣肘《せいちゅう》を被ることなく、これまで望んでもできず、あるいは望むことさえ禁じられてきた様々な欲望を、近代技術が叶えてくれることを知ったのである。

経済的な制度もまた、この動きに加担した。資本主義的な市場の原理は、大衆と呼ばれる生活者のなかの「需要」に応えることを一義とし、需要に見合う供給において、製品や商品の性能、価格などの競争を、正当かつ必要なものとした。生活者は、自らの欲するものを、手に入れることができるようになった。もちろん、代金さえ払えば。

このパターンは、やがて、「需要」は、生活者の間に存在するものではなくなり、生活者の間に潜在的に眠っているものになった。したがって、供給する側が、宣伝、広告などあらゆる手段を使って、その眠りを覚まさせることもまた、正当視されるようになった。今日では、さらに本来的には生活者のなかに、存在してもいないし、また眠ってもいないような、つまり無の需要状態のなかにさえ、供給する側が無理矢理に需要をつくり出すことさえ、不当とは見なされなくなった。

こうして、生活者は、自ら生きる生活空間において、持つことを禁じられていた欲望を解放したばかりではなく、これまでに持とうとは思わなかったような(つまり眠っていた)欲望をも充足する機会を与えられ、さらには、持つはずもなかった欲望まで開発されて、その充足を求めるようになった。

3　現代技術と生活者

技術の変貌

こうして、現代社会では、技術は、解放された人間の欲望に応えるべく、最善を尽くす、というパターンができあがった。その技術の対応は、ときに、人間の想像の力を上回り、むしろ、技術の提供し得るものによって、人間の欲望が増幅されるという事態さえ生まれている。

例えば、現代の生殖医療技術の進展は、まさに、そうした事態であると言うことができる。かつて不妊に悩む夫婦にとって、子供を持ちたいという欲望は、神信心の効果がさだかでない以上、養子という方法をとる以外には叶えられるすべがなかった。しかし、現代医療技術は、第一に体外受精を可能にした。それほど高い成功率は現在でも望めないが、それでも、夫婦の生殖細胞どうしの体外受精技術の開発は、子供を持ちたいという欲望の充足を、とりあえず約束するものとなった。しかし、夫が無精子症の場合には、この技術でも如何ともし難い。そこで、医療の提供者の側では、他人の精子を使う方法を開発した。

おそらく今でも、その方法を利用することに躊躇や拒否感を持つ夫婦は少なくないはずである。つまり、「需要」の側では、必ずしも、そこまでは望んでいないという状況が、少なくとも一部にはまだ存在している。しかし、同時に、それは一つの誘惑でもある。子供を持ちたいという欲望の通常の限界を超えさせる誘惑を、技術を供給する側が示していることになる。そしてそこには、確かに「需要」が生まれる。

この段階で、「需要」の側の欲望にも変化が生じる。どうせ他人の精子を貰う（買う）のだったら、健康で頭がよく、見目麗しい子供が得られる可能性が高い方が望ましい。そこでノーベル賞受賞者の精子が高い価格で売買されるようになり、あるいは、有名大学の学生の精子に付加価値が付いたりすることになる。

一方妻の子宮に問題があって、受精卵が着床できない、というような場合にも、上の技術だけでは子供を得ることは不可能である。そこで、医療の提供者は借り腹という選択肢を提供する。ここでも、そこまでの「需要」は生活者の間には必ずしも存在しなかった時点でも、潜在的な需要、あるいは存在しなかった需要を、技術の対応が新たにつくり出していることになる。

そして極めつけは、クローン技術である。夫が無精子症である場合、他人の精子を使わなくとも、当該の夫婦の間の子供をもうける手段が、クローン技術によって提供されたことになるからである。もっとも、夫の体細胞の細胞質を、除核した妻の卵子に移植する、というのが、最も正常な場合のクローニングになるのだから、正確に言えば、通常のような精子と卵子の授精による夫と妻の遺伝的素質の混合は起こっていない。遺伝的素質は、すべて、夫と同一になる、という限界は認めなければならない。しかし、もしこの技術が完成し、またヒト・クローンが倫理的に問題がないということになった場合に、他人の精子を使うよりは、この選択肢を選びたいという夫婦は少なくないだろう。しかし、つい数年前までは、そのような可能性など夢にも思わず、したがって、技術が開発されるまでは、生活者の側には、そのような欲望は全く存在しなかった、と言ってよい。

より明確なのは、女どうしの「夫婦」の場合である。そうしたカップルは法的と非法的とを問わず、これまでにも社会の一部に存在し続けてきただろう。しかし、これまで彼らの誰一人として、自分たちの子供を持ちたい、などという欲求を抱いたことはなかったはずである。しかし、クローン技術は、原理的には、そうしたカップルにも彼らの子供を持つことの可能性を提供している。通常の夫婦の場合と同じように、「妻」役の側から卵子を取り出して除核する。「夫」役の体細胞の細胞質を、その卵子に移植する。その後「妻」役の子宮に(そうでなければならない必然性は、原理上はないのだが)その卵を着床させてやればよい、ということになる。こうして、女どうしのカップルが、自分たちの子供を持ちたいというかつては誰も夢見たことさえなかった欲求を、あるいはその需要を、技術が敢えてつくり出したということになる。

このような事態は、臓器移植の場合にも同様に当てはまる。SFの世界以外、現実の生活空間のなかでは、誰も抱いたことのないような、「他人の臓器を貰う」という「需要」が、臓器移植技術と脳死を受け入れることによって、現実化することになった。人間の生命がかかっているときに、提供する側が、こんなこともできますよ、とオプションを示せば、提供される側にとって、そのオプションが思いもしなかった欲望を掻き立てる誘惑にならないはずはない。

こうして現代技術は、解放された人間の欲望を充足するための手段、道具の役割から、さらに、人間の存在しなかった欲望を「開発」する役割をも演じるようになったのである。

科学との融合

一九世紀以降の近代技術の展開という事態において、当初は科学は技術の世界にまだ大きな影響力を発揮していない。繊維、銃器、ミシン、時計、鉄鋼、電力、放送・通信、自動車など、近代産業が技術的イノヴェーションによってもたらされ、支えられてきたことは、これまでの記述でも明らかであるが、ほとんど時期を同じくして、ヨーロッパ世界で制度化されつつあった科学とは、交わるところを見出すことが極めて難しいのである。

確かに、一九世紀には、熱力学が成立し、エネルギー概念も確立したし、世紀後半には、マクスウェルの電磁方程式も定式化された。産業革命がエネルギー革命でもあり、また、繰り返し述べてきたように一九世紀末から二〇世紀にかけての技術的イノヴェーションの最も顕著で、しかも生活空間にも最も大きな影響を及ぼしたのが、電気・電力であったことを思えば、ここに触れたような科学上の成果が、技術の発展を促したように思われても、不思議はないかもしれない。

しかし実際には、科学における原理の発見から、その応用としての技術の進歩へ、という直線的な図式(しばしば「リニア・モデル」と呼ばれる)は、この段階ではほとんど全く成り立たないのである。カーネギーはエネルギーの分布則などまるで知らなかったし、エディソンはマクスウェルなど知らなかったし、フォードは熱力学など知らなかった。

唯一つの例外は、化学・薬学産業の分野である。一八世紀末にようやく近代的な物質観が確立され、それに基づいて、物質の極微の構造を問う化学理論も、一九世紀には成熟した。そしてそれに伴って、勃興する繊維産業に欠かせない染料や、疲弊した農業を救う肥料など、当時の社会的な要請に応えて、人工的に必要な物質を合成する、という応用化学の領域は、一九世紀半ばには、ほぼ確立していたのである。そうした知識は、爆薬(ノーベルのダイナマイトを想起すればよい)、セメントなどの製造、あるいは果てには毒ガスの製造にまで及ぶ広い範囲の実世界で応用されるようになり、軍事や産業にとって、不可欠の重要な知識領域として、化学は一九世紀末には確固たる地位を占めることになった。

実際一九世紀末に、ヨーロッパでもアメリカでも、大学の理学部を卒《お》えた人間が、産業のなかに雇用の機会を見出すことは、ほとんど全くできなかったが、化学だけは例外で、化学・薬品工業に、少しずつだが着実にリクルートされることができたのだった。

そうした事態を変えるきっかけをつくったのは、第一次世界大戦であったろう。科学的知識が遣いようによっては、軍事の目的に役立つことは、毒ガスという不幸な発明でも証明されたことになった。

産業の世界で、こぞって科学者を雇い入れ、企業内研究所(インハウス・ラボと呼ばれる)を設立して、そこで研究(それは無論、製品の開発に繋がるような研究であるべきである)に従事させる、というパターンが次第に定着し始めたのも、二〇世紀の戦間期あたりからであった。

この傾向は、第二次世界大戦中に決定的になる。戦争に参加した国々では、ほとんどの場合、いわゆる科学動員体制をとった。攻撃用・防御用の兵器の開発、兵器の性能の高度化のために、惜しげもなく、国家資金が投入され、また人材と時間と資材とが投入された。科学者たちは初めて、自分たちの研究が社会のニーズに役立つという実感を持ち、またそれを標榜すれば国家からいくらでも研究費が引き出せることも知った。

アメリカの全米科学基金(NSF)は、連邦政府の機関であり、アメリカ全体の研究・開発の公的資金を握っている部局だが、一九五〇年に設立されたこの機関は、大戦中の研究費の好景気に気をよくした科学者の一部が、戦争が終わった後も同じように甘い汁が吸えるように企んだことが実を結んだ結果生まれたものである。

国家政策としての技術

こうして第二次世界大戦後、技術は急速に科学と接近し、いわゆる「研究・開発」(R&D)として、研究が応用に直結するようなパターンが、大きな比重を占めるようになってきた。

産業のなかでの研究・開発という理念が国家レヴェルにまで拡張された、と考えることができる。とりわけ、大戦後、米ソといういわゆる二大超大国の軍事的対立に基づく冷戦構造は、核兵器開発、宇宙開発など、国家の存亡と威信を賭けた巨大な開発競争へと両国をしむけた。そこでは、もはや技術は、生活者の生活空間とはほとんど関わりのない、特殊な世界のなかで展開されるものという性格を帯びた。

最初に月の表面に降り立った宇宙飛行士のテレヴィジョン映像に接して、興奮に沸き立つ周囲を冷ややかに見ながら、アフリカ系アメリカ人が"So what?"(それがどうした、俺たちの生活はこれで良くなったか?)と叫んだ、というエピソードが残されたが、まさしくことの本質を描き出したエピソードと言うべきだろう。

しかし、現実には、研究・開発における能力が、国際競争における一国の死命を決しかねないような状況が生まれている今日、科学技術戦略は国家政策の枢要な柱になりつつある。

日本では、一九九五年に科学技術基本法が制定され、国家行政と地方行政の双方が科学技術の振興に責任を果たさなければならないことが明記されることになった。これに基づいて、国家行政は、五か年計画の形をとった科学技術基本計画を一九九六年に策定、実行中である。おそらく、今後繰り返しこの計画は更改されていくことになるだろう。そのなかには、政府が直接研究・開発に投下する資金の総額も含まれている。

このような、科学技術の研究・開発という課題を、基本的法律という形で、国家戦略のなかにあからさまに取り込んでいる国は、世界でも、それほど多いわけではないが、事情はどこの国でも全く同じである。例えば、現在のアメリカは、通信技術と生命技術に極力エネルギーを集中しているが、それはまさしく大統領府における最高決定の結果と言ってよい。いわゆる経済におけるグローバル化(実はアメリカ化)を背景に、二一世紀の世界におけるヘゲモニーを維持しようとする戦略の然らしむるところである。

このような国家戦略が現実化するということは、単に、ある領域に投下される政府資金が増した、あるいは減ったというだけにとどまらないことは言うまでもない。国内の教育構造、評価制度、雇用関係など、言わば現代社会の生活空間そのものを、構造的に変えていくような衝撃力を具えているのが国家戦略である。

例えばアメリカでは、物理学の領域からは基本的に撤退しているかのような状況が生まれている。SSC(超伝導超大型衝突型加速器)を断念したことをきっかけに、例えば大学の理工系学部においては、教授、学生とも、質の点でも量の点でも、生物系が物理系を圧倒しつつある。そしてその事実は、ヴェンチャーを中心とするアメリカのビジネスの世界にも、構造的変革を招きつつある。それにつれて、特許や知的財産権などに関する考え方も、生物系に見合うようにシフトが起こっており、しかも、その国内的なシフトを、例によって、グローバル化しようという動きが活発になっている。

日本においても、同じような構造変革が見られる。例えば、研究・開発に政府が費やす資金を増やす、ということは、結局税金を使うのだから、納税者に対して、その成果が十分に納得のいくものになるべきである、という、それ自体としては抗い得ない根拠から、研究機関と研究者に対する評価を厳しく行う、という、この点でもそれ自体としては全く正当な主張が生まれる。

そして、研究者の国際競争力を高めることと重ねられたこの主張は、これまでの「日本的」な社会空間を、アメリカ的なそれに変える、という方向に走り出している。ここで社会空間と言ったのは、研究者が仕事をしている空間だけではないからである。今起こっていることは、大学をはじめとする教育の現場を変えつつあり、おそらくは、やがてそこから生み出される人間の意識にいたるまで変えるであろうし、そして、そういう人間がつくり出す社会空間全般をも変えてしまうことになるだろう。

それが望ましい方向なのかどうか、私は、危惧の念を抱いているが、少なくともどのような社会空間を構築したいのか、という点でのじっくりした議論と、そこで設定された目標へのゆっくりした歩みとが望まれる。

おわりに

科学と融合した現代技術は、こうして、現代社会それ自身を構築するだけの力を持つにいたった。それは国家の国際的な位置を左右し、国内産業を支配し、あるいは生活者の生命の帰趨にも、大きな影響力を持つようになった。そればかりではなく、教育、労働の形態などから、食事の形態に至る広範囲な日常的場面で、要するに生活者の生活空間そのものを大きく変えてしまったし、変えつつある。

利便性、快適性、効率の良さなどを過去の生活空間と比較すれば、私が生きて経験してきた六十余年のなかでさえ、ほとんど比較を絶するほどである。その諸々をここで挙げることはやめよう。

過去との比較という点で、別の視点をとってみたい。過去における技術は、すでに見たように、生活空間のなかで、限局された働きを持っていた。職人集団は閉鎖的であったが、技術の成果の大半は、生活の一部に関わるだけで、しかも、それは目に見える形をとるのが普通であった。食器その他の道具類も、遣いこなすのに特に注意は要らず、修理も日常的な範囲で、自分でもできないわけではなかった。もちろん治水、灌漑《かんがい》のように、大規模な行政的な力を必要とする技術も、社会の重要な要素ではあったが、それとても、生活者の参画がある程度は可能な形でつくられ、維持されていた。

しかし、今日の生活空間のなかでの技術は、全く異なる姿をしている。晩年の本田宗一郎氏が寂しそうに洩らした一言が忘れられないのだが、本田氏は、「自分のところで作っている車、もう俺にはわからないんだ」と言ったのである。あの自動車技術の権化のような本田氏に明確には読み取れないような車のメカニズム。それは今日の生活空間のなかに浸透している技術の象徴のように思われる。

一言で言えば「技術は見えなくなっている」のである。それは具体的には、次のような事態になって現れている。例えば修理である。目に見えるメカニズムでは、故障の個所がどうなっているか、部品が摩耗したのか、損傷したのか、……を目で確かめることができる。その対応策も、応急の処置も、「目」で見当がつく。しかし、例えば、現代の車の修理は、主としてコンピュータ制御の部分が多いからなのだが、そうした「見える」故障に関わるものではなくなっている。ある部分からある部分までを、ただパックにして交換するほかはない、というのが普通である。本田氏が「わからない」と言われたのも、その点だったと推測される。

これは非常に皮相的な現象の面であるが、このような事態は、より根元的な形で、われわれの前にある。われわれの生活空間そのものが、上で言うような車に似た状態になっている。われわれが便利さを享受している製品の生産現場、あるいはそれを稼働させるために必要な電力の製造、供給の現場、こうしたものは、われわれ生活者の目にはいっさい触れないようになっている。われわれは、いつ、誰が、どのようにしてつくったのか、明確なイメージ抜きに、ただスイッチをひねれば、電気が使え、水が出る、ゴミもまとめて出しておけば誰かが処理してくれる、という形でしか、技術と向き合えない状態に置かれている。

そうした状況のなかで、われわれの生活空間は、われわれの真の望みが何であるか、という問いかけを発しないままに、いつか、誰の手によってか、どのようにしてか、明確な経過と意志確認と責任とを曖昧にしたままで、ひたすら技術の所産を受け入れ、それによって、変わっていくという状況にある。

上に述べたように、国家戦略が明確になってくれば、その意志と責任の一部が行政に、そして間接的には、そうした行政を支持する生活者自身にあることも、ある程度は明確になる。

しかし、そうであっても、いや、そうであればなおさら、われわれは、われわれの生きるこの空間の在り方に、そしてその未来の在り方に、責任を感じなければならないことになる。科学や技術は、われわれの生活空間そのものなのであり、それは、どこかで用意されて強制的に与えられたものではなく、やはりわれわれ自身がつくり出してきたものである。「見えない」ほどにすっかり空間の要素となってしまったとしても、われわれは、それを見据え、われわれの意志で管理していかなければならない。

そのためには、生活者一人一人が、まず「目」を逸らさずに「見よう」とすることから始めなければなるまい。「見る」ためにはそれだけの眼力が必要である。理工系は理工系の話と、非理工系の人々がそっぽを向いていては眼力は育たない。理工系の人が、自分たちの生きる社会のことに関心を持たなければ、ここでも「眼力」は育たない。

これほど切実にわれわれの生に介入し、われわれの生を規定し、われわれの生を造り、われわれの生そのものとさえ成りおおせた科学／技術は、われわれ自身の責任として、われわれすべてが背負うしかないのであり、その意識こそが、未来のわれわれの子孫に対して責任を果たす第一歩になるだろう。

VI

科学／技術と教育

教育という側面から科学と技術とを歴史的に考えようとするとき、必然的に導かれるのは、他の章でも触れた欧米と日本の違いである。まずは、その点の確認から、この章の記述を始めることにしたい。

1　西欧における科学教育の始まり

一二世紀西欧に大学が発生したとき、どこの大学でも、ほとんど自動的にその構成は、通常の学部としての「哲学部」と、付設の上級学校としての神学校、法学校、そして医学校という形になった。周知のように、哲学部が大学の本体であって、そこでの学問の基礎となったのが、「自由七科」と日本語に翻訳されることの多い〈artes liberales〉である。これは三科と四科に分かれ、三科は論理学、文法、修辞学、四科は天文学、幾何学、算術と音楽であった。本来は古典ギリシャ、具体的にはピュタゴラス派に淵源すると言われるこうした学問分類ではあるが、一二世紀ヨーロッパにおいて、スコラ学に伴うような形で形成された大学でのこの自由七科には、キリスト教的な意味合いが加えられていたと考えるべきであろう。それは、三科が言葉に関するものである一方、四科は自然に関するものである、というところにポイントがあった。スコラ学では、神は二つの書物を書いたことになっている。一つは『聖書』であり、これは人間の言葉で書かれている。もう一つの書物とは神の「被造世界」としての自然であって、それは数学の言葉で書かれている、と考えられた。「神は数学の言葉で自然を書いた」とはしばしばガリレオの言葉として引用されるが、それはガリレオがスコラ学のなかで使われてきた表現を利用したに過ぎない。

人間の言葉を理解し、それを使ってコミュニケーションするためには、論理学、文法、修辞学という「わざ」を修得しておく必要がある。それは『聖書』に書かれていることを理解し、かつそれを人に伝えるために必須の基本的な「わざ」である。

他方自然を理解し、そこで判ったことを人に伝えるためには、天文学、幾何学、算術、音楽という「わざ」を修得しておくことが必須の条件となる。これら四科は、今の概念とはやや異なる意味でだが、すべて「数学」と考えることができるものであった。四科は、自然を理解するために必要な基礎的「わざ」であった。

もし「科学」という概念を最も広くとって、「自然を理解するための体系的知識」と定義するとすれば、「自由七科」における「四科」は、「科学」の名に値するだろう。

筆者自身は、一般にはこうした定義をとらない。現在私たちが「科学」という言葉に乗せている意味と、例えば一二世紀以降のヨーロッパの大学における「四科」との間には、明らかに「同じ」とするには大き過ぎる懸隔が存在するからである。しかし、この点についての詳細な吟味には、ここでは立ち入らない。

ただこうして科学を広義に捉えたとき、その組織的教育が、ヨーロッパの大学に始まった、ということは可能であろう。もともと、知識や「わざ」は、どの文化圏でも「縦に」伝えられるのが通常の形態であり、大学のように「横に」組織的に伝えられる形態は、一二世紀ヨーロッパのそれを初めとすると考えることができる。その意味では、ヨーロッパの大学の誕生は、知識・学問の歴史における一つの重大な節目であった。

しかし、通常の意味での技術は、こうした大学の伝統とは全く無縁のところで継承されていた。医術を例にとろう。医術の理論的側面と、それに結びつく内科的な臨床教育は、大学に付設された医学校で教育が進められるようになった。しかし、医術のなかでも、最も技術的な側面を受け持つ外科は、大学の医学校とは切り離され、職人のギルド、あるいは親方 - 徒弟制度のなかで教育が行われた。大学の医学校にも外科職人(通常は「理髪医」と呼ばれる)は雇用されることはあったが、それは正規の大学のメンバーとして受け入れられてはいなかった。それは服装からも明確に判別されるものであった。大学の正規のメンバーは教師も学生も黒い長着を着用しているのに対して、被雇用者としての外科職人は、膝上の丈の服にタイツを履いて、足を見せていなければならなかった。

このようにして行われていた技術の教育が、学校という制度を利用し始めるのは、一九世紀になってからのことであった。

広義の科学の教育や普及は、もちろん大衆にまで届いたわけではなかったし、一九世紀までは如何なる意味においても、科学者という存在も出現しなかったことは強調しておいてよい。科学者が存在しなかった、という事実は、職業としての科学が存在しなかったということでもある。社会のなかに科学の専門家を受け入れる場所はなかった。一七世紀末から一八世紀にかけて、広義の科学は少しずつ社会のなかで輪郭《こぞ》を得たことは確かである。例えば、一八世紀フランスの王室に関わる寵姫たちが挙って開いたサロンでは、詩や気の利いた文学作品の披露などと並んで、数学の証明や、自然現象の新しい解説などを披露することが人気を呼んだ。天文学と占星術、錬金術と化学との分離は、一般的には未だ明確ではなかったが、「アルマナック」と呼ばれる日めくりカレンダーの付録に、ちょっとした天文学の知識が書かれていたり、ある種の化学の実験キットが家庭用に販売されたり、というような現象も見られるようになった。

しかし、こうした知識の普及が、組織的な「科学教育」と呼ぶべきものではなかったことははっきりしている。社会のなかに制度化されていた、いわゆる中等教育(ギムナジウム、リセなどと呼ばれた)は、「リセ」がもともと「資格取得」の意味を持つことからも判るように、社会人になるための準備ではなく、大学入学資格取得を目的とした制度であって、そこでは、一八世紀にも、あるいは一九世紀、二〇世紀に入ってさえ、古典語の素養を柱においた文科系の学問が主体であった。ということはまた、大学において学ばれる学問の主体は、広義においての科学さえも、組織的な実地の観察や実験の訓練というよりは、むしろ文献学的な基礎に裏付けられた思弁的な性格のものだった。それは「自然哲学」あるいは「自然神学」という伝統的な呼び名に相応しいものであった。

一八世紀の末から一九世紀に入ると、ヨーロッパ社会のなかに、「科学者」と呼んでよいような社会層が、小さいながら誕生した。ヨーロッパ語において「科学者」に相当する単語の多くは、一九世紀の半ば近くに初めて鋳造され、定着するようになる。彼らの多くは自然哲学を学ぶなかから、より具体的で、「専門的」な現場を見出し、神学からは解放された知識の追求を始めたのだった。さらに、そうした関心を抱く貴族が、自ら造った個人的な図書室内の「実験室」などで、実験を考案したり組み立てたりするような「専門家」も生まれてきた。

彼らは次第に自分たちだけの共同体を造ると同時に、教育制度のなかに、自分たちの知識を反映させる途を探り始めた。その最初の目覚ましい例が、有機化学におけるリービヒである。彼はフランスで学んだ後、ギーセンという小さな町の大学の哲学部の教師に就職し、そこで、自費で兵舎跡の建物を整備し、自ら考案し、あるいは自ら購入した装置を設置して、有機化学の分析実験の訓練を学生に課した。一八二〇年代のことである。そしてこのリービヒの施設こそ、ヨーロッパの大学に設置された自然科学の「研究室」(ラボ)の最初であった。

つまり一九世紀前半になると、ヨーロッパの大学のなかには、科学(現代に使われている言葉の意味での)を取り込む兆しが生まれ始めていたことになる。この動きは、やがて一九世紀後半に、理学部という新しい学部の創設となって結実する。ドイツ語圏では一八七五年以降に、哲学部(学芸学部)を改組して、理学部と文学部に相当する学部編成に変更する大学が少しずつ生まれるようになった。こうして科学は、大学のなかにしっかりと根を下ろすことができた。

これは、勃興しつつある科学にとっても、都合の良いことであった。一九世紀に近代的に改革されたヨーロッパの大学は、厳しい自己管理の下で、研究者一人一人が孤独のなかに、自らの知的関心を全うする場所であることを更めて確認したところであった。この時期に誕生した狭義の科学もまた、研究者個人に内発する真理への探求心のみを導き手とする営みとして発したために、改革後の大学は、そうした科学という営みを受け入れ、あるいは育むトポスとしては格好のものとなった。もっとも、第Ⅱ章で強調しているように、科学の研究者は、個人に内発する好奇心に駆動されているとは言え、一人一人では極めて弱い存在であり、自分たちの社会的認知を獲得し、社会の中に自分たちの存在する場所を確保するために、団結することも辞さなかった。つまり科学者共同体を組織化したのである。

しかし、それは一般の社会のなかでの方向であって、科学者一人一人は基本的には孤独な存在であったし、大学はまさしく彼らの居場所となったのである。かくて科学は、大学のなかの新しい知的伝統を形成し始めた。科学者はそこで自らの再生産を行い、知識を後継世代に伝達するチャネルを整えると同時に、社会的にも後継世代のために居場所を確保することに先ずは成功したのであった。

2　日本の大学と科学

日本の近代的な大学が誕生したのは明治一〇(一八七七)年のことである。このとき生まれた東京大学は、法学部、文学部、医学部、理学部の四学部から成っていたが、それは二つの顕著な特徴を示していたと言える。その一つは、神学部を欠いていたことで、当時欧米の総合大学で、神学部を持たないことは、「欠格」であるとさえ言えたのである。もう一つは理学部を持っていたことで、これはすでに見たように、必ずしも世界最初ではなかったが、しかし、欧米の多くの大学がまだ理学部を設置していなかったことを考えれば、かなり突出した現象であったと言ってよいはずである。

つまり東京大学は、必ずしも当時の欧米の典型的な大学をそのままコピーしたものではなかったことになる。一方技術の学校としては、欧米でも一九世紀になると、色々な形での学校が創設されるようになり、中には、大学に近い「高等」教育的な色彩を帯びたものもあったが、伝統的な考え方の支配するなかで、それらの技術のための学校は、決して「大学」にはなろうとしなかったし、大学の側も関心を示すことはなかった。それは、大学が独占的な学位授与権を手放そうとはしなかったということでもあり、また技術学校の側は、学位授与に関わる様々な条件を具備しなければならない煩わしさを嫌ったということでもある。いずれにせよ、欧米では技術のための学校は、大学とは常に一線を画して発展していたのだった。

日本でも、東京大学が発足した同じ年、技術のための学校として工部大学校が誕生している。ここでは欧米の習慣から、技術、工学は、大学とは別組織で扱う、という原則が守られていたことになる。

しかし、日本政府は、僅か一〇年足らずの間に、この原則を簡単に放棄してしまう。明治一九(一八八六)年、東京大学が「帝国大学」と改称される措置がとられるが、それと並行して、工部大学校は、その帝国大学に吸収されてしまったからである。多くの機会に述べてきたことだが、この時点で、工学部という組織を内包する総合大学は、欧米には基本的に存在しなかった。因みに付け加えるが、福澤の学校も、大隈の学校も、あるいは新島の学校なども、すでに存在してはいたが、それらが「大学」と名乗れるようになるのは、二〇世紀に入ってからであり、すでに世は大正の時代になっていた。

第二帝国大学としての京都(帝国)大学の創設は、それからほぼ一〇年後の明治三〇(一八九七)年のことであるが、京都大学は最初から工学部を持ち、しかもその学生数は、総学生数の四〇パーセントに達していた。

このような日本の特殊性は、知識階級のなかでの工学や技術に対する偏見の少なさを示すものであり、逆に見れば、そこで理解されている科学は、技術や工学と大差のないものであった、と見ることもできる。つまり日本の科学/技術に関する教育(研究も含めて)は、その発足当時から、むしろ「科学技術教育」であった、という解釈が成り立つだろう。

3 近・現代の科学教育

さて話をヨーロッパに戻すと、すでに見たように、科学の教育が、大学に始まったことは、その後の科学教育に大きな影響を与えた。例えば、読み書きのような事柄は、大学のなかに存在するような高度な知識体系とは一応切り離して、初等・中等教育のカリキュラムに組み込まれることが可能である。実際、ヨーロッパ近代では高等教育ばかりでなく、初等・中等教育が整備されていったが、前述の大学予備門的な中等教育を除けば、とくに初等教育にあっては、大学で行われている学問や知識体系とは切り離された内容が組まれていたと言える。

しかし、科学に関しては、状況は異なっていた。繰り返すが、科学は、何らかの意味で生活と関連する必要性から生まれたものではない。専門家の好奇心から生まれたものである。したがって、科学が教育の現場に登場するときには、それは基本的に、科学者という専門家の持つ知識内容を、非専門家である学生、生徒に伝える、という形式にならざるを得ない。そういう性格を色濃く備えた領域が科学であった。

そのことが、近・現代の科学教育全般の運命を定めたのではないか、というのが筆者の仮説である。この仮説は、近・現代の初等・中等教育における科学の扱われ方に関する観察を土台にしている。

例を高等学校における教科内容にとってみよう。物理学にしても、生物学にしても、さして変わりはないが、そこで定められている教えられるべきこと(通常は日本では、文部省の「学習指導要領」によって指定される)は、大学において専門的に学ばれるはずの、当該の教科の内容に近づくための「準備」という趣をもっている。

そして、中学校で教えられる教科の内容は、再び、高等学校で教えられる内容を理解するための準備という趣で定められる。

言い換えると、中等教育である高等学校や中学校での理科の教科の内容は、それぞれ、程度の差はあれ、大学での自然科学の教育内容を幾分か希釈したものという形をとっていることに気づく。

現代の力学をマスターするためには、微分方程式を操ることが必須の条件となる。そのためには、高等学校では、微分に関してそれなりの基礎的な知力を養っておかねばならない。現代生物学をマスターするためには、細胞内の構造やＤＮＡの仕組みを理解しなければならないが、そのためには高等学校で、しかるべき基礎を造り上げておくことが必要になる。

そして中学校における教科の内容は、それとほぼ同じ理念で考えられており、高等学校での理科の内容咀嚼《そしゃく》に必要な基礎を築くことが主眼になって構成されている。他の機会にも書いたことだが、現代の中等教育の理科の教師には、自分たちは「理科嫌い」を造っている、という嘆きを洩らす人が多い。実際、中学校に入学したときに、自分は理科が死ぬほど嫌い、という生徒は先ずいまい。しかし三年間の中学における理科教育の結果、生徒の四割ほどが、「理科嫌い」になって卒業していく。そうならなかった生徒のまたもや四割程度が、高等学校で「理科嫌い」になる、とも言われている。つまり理科を「教育」することで、結局は「理科嫌い」を造り出していることになる。

しかし、これはある意味では、見事な選別の仕組みとも言えるのである。現代の科学研究に、すべての生徒たちが適性を持っている、などという馬鹿げたことはそもそもあり得ない。したがって、中学生の間から、現代科学の理解に適性を持つものを選び出し、そうでないものを篩《ふる》い落とす、そして高等学校でもまた同じことが繰り返されている、そう考えれば、このような「理科教育」はそれなりに、極めて有効に作動していると言える。少なくとも、理科教育が、現代の科学研究の準備であり、現代の科学研究を支える予備軍を造り出すことにその目的を限定する限りでは、この「理科教育」は成功しているのである。

これを、他の教科と比べてみると、その違いがはっきりするだろう。例えば社会科である。社会科学と言われるものは現代の学問状況のなかで数多くある。経済学、法学、社会学、経営学などなどである。しかし、一般的に、そうした学問を身に付けることを最終目標に、基礎造りをどのように果たせるか、という考え方で社会科の内容は定められているわけではない。なるほど高等学校では、ケインズの理論やマルクスの考え方の一端は示されるが、それはケインズ理論を修めるための必須の基礎作業として、習得を求められているわけではない。

歴史でも同じことである。現代の歴史学、あるいは少なくとも科学史学を理解しようとすれば、どう考えても、従来の古代、中世、近代などという乱暴な時代区分がそのまま通用することはないはずである。しかし、中等教育における歴史の枠組みは、その意味では、学問の現代的な部分をおよそ無視していると言ってよい。そのことは、歴史の領域では、現代の学問的状況と、中等教育における教科の内容とが結びついていない、という事実を反映している。そしてその事実は、中等教育における教科内容は、現代の(大学における)学問的状況を把握させるための基礎作業とは必ずしも考えられていないことを暗示している。

実際、人文・社会科学系に専門を持つ大学の教師という立場からすれば、中等教育を受けて大学に入学してくる学生たちが、その学問に対してあまりにも基礎的知識も感覚も欠いていること、そして、それを理解させることに余りにも多くのエネルギーを使わなければならないことに、苛立つ経験を持たない教師はいないだろう、と思う。自然科学系の教師が、大学に入学してきた理系の学生の基礎能力が乏しいと最近嘆くことが多いが、人文・社会科学系の大学教師の日常は、まさしく基礎学力をつけることに費やされていると言えるだろう。

しかし、そのことは、必ずしも「悪」とは決め付けられない、というのが、筆者の言い分である。大学の教師の場合でさえ、教える学生のすべてを自分の専門とする学問の次代の専門家に仕立てるつもりで教育に携わっているわけではない。とりわけ、大衆化された大学においてはそうであり、また筆者のように学生時代から、教師としての身分も含めて、その半生の大半の時間を過ごしてきた教養学部においては、なおさらそうである。

そうだとすれば、中等教育には、中等教育としての独自性があってよいはずである。学問の現代的先端に学生や生徒を誘いこむことだけが、教師の務めではなく、教育の務めでもあるまい。すでに大衆化された大学自体が、時代の先端的学問を再生産する役割だけを担っているのではなくなっている。中等教育もまた、時代の先端的学問を再生産する準備のためにあるのではあるまい。

4　新しい理科教育・科学教育と科学リテラシー

その点を支える一つの事態に触れておきたい。すでに第Ⅱ章でも強調したように、ここ半世紀ほどの間に、社会と科学との関係は、ドラスティックな変化を遂げてきた。かつて科学は、社会のなかで隔絶された一つの空間を形成し、そのなかで自足的に営まれる知識体系であった。社会が科学に対して持つ関係は、「良き理解者」であることだけであった。そのなかで、極く僅かな数の、同じ関心や好奇心を共有する次世代の人々が育ち、その空間を受け継いでいった。大学は、そうした空間の拠点であったが、そうした後継者の再生産は、極端な「拡大型」にはならなかった。社会はそうした仕組みを許容し、何ほどかの支援を与えておけば、それで話は済んだのであった。

しかし、ここ五〇年ほどの間に事態はすっかり変わってしまった。科学は、社会を動かす不可欠のセクターとなり、科学の成果は、社会に生きる一人一人の生活に直結し、それを左右するような形態をとるようになった。科学の側から見れば、「社会化された科学」と表現できるだろうし、社会の側から言えば「科学化された社会」と言ってもよいだろう。いずれにしても、社会と科学との関係は、現在では相互に有機的に浸透し合っており、社会の成員は、理系であろうが、非理系であろうが、否応無く科学と直接的な繋がりをもたなければならない事態に立ち至っている。

そうしたなかでは、一般の人々の日常の必要に由来する、科学についての知識への要求が生じてくるのは自然なことと言える。つまり、かつて科学に関する教育内容は、とりわけ、実はすべての同じ年齢の子供たちが受ける義務教育や、その延長としての中等教育において、すべての子供たちが必要としている知識ではなかった、ということになる。それは、理系に進むべき子供たちを、そうでない子供たちから選別する意味で、有効であったとしても、そして、そのことに十分な意義を認めたとしても、なお、敢えて指摘しておかなければならない。しかし、今日、科学は、言わばすべての人々に否応無く関わりを持つものとなった以上、何らかの形での「科学教育」は、すべての人々に必須のものとなったのである。それは、いまや、現在の学術的水準に適性を持つか否か、ということを暗々裏に前提とした、篩い落としの選別機構とは別の次元で必要とされることになる。

そうした認識に立つとき、少なくとも現在二つの種類の「科学教育」が求められていることになる。その第一は、通常の「適性」試験機構とも言うべきものである。ただし、その種の科学教育は、すべての生徒、学生に課せられるべきものではない。

第二の種類のそれは、現代の科学の先端の学説を細部まで理解するための基礎を準備するために組み立てられたものでないような種類の、しかし、科学研究が、社会の成員とどのような関係にあり、どのように自分たちの生から死までのあらゆる場面を左右しつつあるのか、逆に社会は科学研究をどのように取り込み、どのような仕組みでそれを運用しているのか、というような点に関して、鋭敏な洞察力と判断力とを養うような教育である。そして、このカリキュラムは、当然のことながら、理系的適性のあるもの、ないもの、すべてに必須の「科学教育」となるべきである。そしてそれこそが、今日しきりに言い立てられる「科学リテラシー」ということの意味であろう。

研究者はもとより、何らかの意味で科学と関わるキャリアを将来に選択しようとするものにとって、自分たちの携わろうとする知的活動が、どのような形で社会に取り込まれ、どのように受け入れられ、どのように時には濫用され、人間や社会にどのように関わっていくのか、その点での感受性を高めることは、決定的に重要である。

他方、生涯科学とは直接縁のないキャリアを選択するであろうものにとっても、現代科学が、自分たちの社会のあり方、自分たちの生活にどのような影響を与え、どのようにそれを左右しようとするのか、というような点に関する感受性を養うこともまた、決定的に重要である。

このような観点から組み立てられる「科学教育」は、これまでのような「自然科学」の一部、あるいは自然科学系の虫様突起のようなものではない。自然科学の一部を如何に「下ろして」いくか、という目的のために構成されるものではない。むしろ全く異なった視点から構築されるものでなければならない。

さらに言えば、それは単に一つの教科で足るものと考えられるべきではないのかもしれない。英語の表現に〈across the curricula〉という言葉がある。「一つの教科だけに頼るのではなく、すべての教科課程全体を通じて」という意味であろう。例えば憲法の精神であるとか、人権擁護の理念などは、「社会」とか「公民」などという、それなりに定められた教科のなかで伝えられるのは当然としても、あらゆる教科にわたって、生徒たちに常に伝えられるべきものである。それと同じように、この新しい科学教育が目指すものは、「総合理科」などという教科を設けて対応することによって達せられるものというよりは、むしろ、国語でも、社会科でも、あるいは理科そのものでも、あらゆる教科内容のなかにその精神が滲み込んでいって、初めて到達できるものとも言えるだろう。

もう一つ大切なことを付け加えなければならない。これまでの記述では、そうした新しい「理科教育」あるいは「科学教育」は、主として初等、中等教育に課せられた課題であるかのような印象を与えたかもしれない。そして、それは一面では確かにその通りではあるが、また、初等、中等教育に限られるべきものではないことも重要である。

学生たちがある程度将来のキャリアに明確な展望を持つようになる大学においても、あるいはむしろ社会のなかでそれぞれにすでにキャリアを造りつつある社会人にとっても、常に立ち返って自らを磨く機会が与えられるような、そうした仕組みのなかで、所期の目標が達成される可能性が初めて生まれてくるのである。

現在日本でも一部の大学に、「科学・技術と社会」(通常英語の〈Science, Technology

and Society〉の頭文字をとってＳＴＳと呼ばれる）というプログラムが立ち上がりつつある。アメリカやヨーロッパ、あるいはアジアの一部の諸国では、すでに多くの大学で、このプログラムが動き出している。アメリカの大学は、三〇〇〇以上あって（人口が半分の日本では六〇〇程度である）一口に言えないほど多様な種類があるが、基本が「教養教育大学」（リベラル・アーツ・カレッジ）であることはほぼ共通している。だからこそできることかもしれないが、ＳＴＳは、学部や学科の壁を越えて、すべての学生（理工系であると人文・社会系であるとを問わず）に開かれたプログラムとして認められるものであることが多い。心理学専攻の学生も、あるいは電子工学専攻の学生も、このプログラムで単位を取ったり、場合によっては学士号を取ったりすることができる。そのことは、ＳＴＳが、文科系の学問を学ぶものにとっても、理工系の学問を学ぶものにとっても、同様に重要視されており、そうした基礎の上に学生たちが自分の将来のキャリアを切り開いていくことが、現代社会においては決定的に重要である、という認識の上に立っていることを示している。

　このような「領域」（という言葉が適切かどうか判然としないが）は、文系でも理系でもない、という否定的、あるいは消極的文脈で語られることが多いが、むしろ文理の区別を超え出るもの、という捉え方が必要なのではないか。巷間しきりに語られる

「文理融合」というのも、若者言葉と誤解されるのを承知で書けば「超文理系」と考えるべきではないか。

これもアメリカでの動きであるが、「第三文化」〈the third culture〉という概念[1]の提唱運動がある。ここでの第一と第二は(どちらが、どちらであるかの詮索はともかく)L文化とS文化が相当する。Lは〈letter〉もしくは〈literature〉を意味しており、「文系文化」の意味である。当然S〈science〉文化は「理系文化」を指していることになる。

かつてC・P・スノーが二〇世紀半ば近くに、イギリスという一つの文化が、実はL文化とS文化の二つに分断されていることを嘆いたが[2]、その問題意識を前提とし、この分断を乗り越える目的で提唱されているのが、「第三の」文化ということになる。名前はどうでもよいのだが、STSもまた、そうした理系と文系の区別を超えたところに場所を見つける領域と考えてよいだろう。

忘れてならないことは、このSTSという領域は、たしかに大学に始まったものではあるが、しかし、かつての(狭義の)科学のように、大学に居場所を定めた専門家たちが、自らの好奇心に導かれて構築してきたものではない、という点である。そうではなく、むしろ、社会の変化とともに、変化した社会を維持し、発展させるのに必要であり、またそのなかで生きる個人一人一人が、そうした社会造りに自ら参画すると同時に、そこで疎外されたり、苦しんだりすることから守られるためにも必要である、という、現実の必要性から生まれてきたものである。

したがって、大学におけるSTSが、先端的な専門的知識体系として、専門家の共同体のなかで育まれるだけの知識体系であってはならないことは自明である。

ここで「専門性」という概念にも、新しい意味付けが必要になっていることに触れるべきだろう。現在、学問とりわけ(自然)科学のなかでの専門性は、基本的には制度によって保証されている。学位の取得に始まり、学会加盟、論文発表、あるいは学会における口頭発表など、幾つかの階梯が設けられており、それをパスしたものだけが、その領域の専門家としての資格を得ることになる。さらに、それに付随してレフェリーによる論文審査制度など、科学者共同体が用意する(科学者共同体内部の)社会的制度が、その資格の実効価値を保証していると考えられる。こうした専門性をここでは「資格付けられた専門性」と呼ぶことにしよう。

「資格付けられた専門性」は、そうした専門性を持つ「専門家」によって形成され、運営されている共同体が提供し、保証するものだけに、教育という面から見ればほとんど必然的に、共同体の同僚となるべき後継者の再生産を目的とする教育を求める。言い換えれば、その専門性を獲得するための教育制度を必要とし、その維持・発展に力を注ぐことになる。

すでに述べたように、従来の「理科教育」もまた、基本的には、こうした専門性の利害関係を考慮しながら組み立てられてきたのである。

ここで筆者は、そうした専門性が、今後は不必要になる、と言いたいのでは毛頭ない。そうした「資格付けられた専門性」というものが、専門家の共同体の外の一般社会のなかでも充分に尊敬され、尊重されなければならないことは、今後も変わりはないし、それゆえそのための教育もまた大切である。自然の神秘の扉を開いていく静謐な悦びを伝え、あるいは神秘の前に跪《ひざまず》いて頭を垂れる謙虚さをも伝えるような、自然科学の教育本来の姿は、むしろ今後あらためて重要になるとさえ言える。

しかし、「専門性」という概念を、そうした「資格付けられた」場面から離れて考えてみることも、これからは必要になるのではないか、ということが筆者の論点である。一例を挙げてみよう。現在治療法のない難病の患者やその家族が、そうした患者を扱った経験のない医師よりも遥かに、その病気に関して多くの知識を備え、最新の治療の可能性などの情報に関しても詳しい、というような事態は、充分想像できる。しかも、多くの場合、こうした難病の患者やその家族たちは、連帯のための共同体を構成している(そのためには、現在の情報技術の発展は大きな力となっている)ために、そうした共同体のなかには、「資格付けられた専門性」とは無関係に、しかしそれに匹敵するような「専門性」が生まれている、と考えることができる。(3) これを「開かれた専門性」と呼んでおこう。

なお、この患者を主体とする共同体では、論文誌も発行されないし、レフェリー制度もないし、したがって如何なる意味においても「資格」とは無関係である。それゆえ、そこでの「専門性」を(拡大)再生産する必然性はどこにもない。もちろん、そこでの「専門性」を共有しなければならない「同僚」(それは専門性において同僚なのではなく、同病という意味で同僚なのである)には、惜しみなく知識の伝達は行われるにしても、である。

この例では、疾病という特殊な媒介項が存在したので、比較的判り易いと思われるが、要は「第二の専門性」として「資格付けられることのない専門性」という概念があり得るということが論点である。

ＳＴＳにおける参画者は、ある特定の領域において「資格付けられた専門性」を備えていることを否定しない。むしろ、それは歓迎さえされ得る。しかし、彼もしくは彼女が、ある領域(必ずしも自然科学とは限らないが)において「第二の専門性」を持つことは十分あり得る。というよりも、むしろそうならなければならない。しかし、それはちょうど同じ難病に悩むという、「学問それ自体」的ではない(それゆえ、資格とも無関係な)動機によって獲得された「専門性」の場合と同じように、科学・技術と社会との間の複雑多岐な関係を解きほぐすという、当該の学問それ自体とは関係のない動機によって獲得された専門性であると考えられる。ＳＴＳとは、そうした「第二の専門性」の集合体ということができる。

そのことは、大学におけるＳＴＳが、それ自体としての専門性(資格付けされた専門性)を求めないというところに結びつく。少なくとも筆者が理解し、筆者が標榜するＳＴＳはそういうものである。

言い換えれば、ＳＴＳは、ＳＴＳ研究者という「資格付けられた」専門家を拡大再生産することを望まない。現在、アメリカでは多くの大学の学部レヴェルでＳＴＳプログラムが実行されているが、専門の研究者を養成する博士課程のプログラムを持つのはＭＩＴのみで、そこでも生産されるＳＴＳ専門家の数は極めて少ない。この事実は、この領域が若く、制度化が今始まったばかりで、今後普及するにつれて、大学院プログラムが急増するという予想も立てられないわけではないが、しかし、ＳＴＳには「資格付けられた専門性」は不要である、という考え方の結果であるとも解釈できるように思われる。この点は今後の経緯が明らかにすることになるだろうが、しかし筆者のここでの主張は、それなりにはっきりさせておいた通りである。

このことの副次的結果は、初等・中等教育におけるSTSにも反映されるだろう。初等・中等教育における「科学教育」の一端を、あるいは先に述べた意味での「第二の科学教育」を、STSが担うとしても、そしてそのことは十分あり得ると思われるが、そのあり方は、大学におけるSTSプログラムの希釈化であったり、あるいはそれの「(程度を)下ろした」ものである必要はない。

子供たちの年齢や関心に応じて、自由に組み立てられるべきものとなるだろう。少なくとも科学に社会的関心を抱き、その関心を磨いていく、という目的を達成するために、行い得る何事も、そこでは拒否されない。さらに言えば、別段STSという特定の教科を用意しなくてさえよいかもしれないのである。先にも述べた通り〈across the curricula〉方式で、つまり、もしすべての教科の一人一人の教師がそれだけの問題意識を持てば、国語でも社会科でも、あるいは音楽においてさえ、その目的は達成される可能性があると言えよう。

こうした関心を持ちながら育った社会の成員たちは、徒《いたずら》に科学を敵視することもなく、また逆に徒に盲信することもないだろう。科学に携わらない人々も、科学と充分な対話ができ、科学に携わる人々も、社会と充分に対話ができるような、そうした未来社会を思い描くとすれば、われわれに課せられた課題は、「第三文化」をどうやって創出するか、そして、それを初等教育から成人教育にいたるなかで、如何に適切に社会の成員に伝えていくか、という点にかかっていると考えるものである。

（1）例えば次の書物を参照せよ。Brockman, John (ed.), *The Third Culture beyond the Scientific Revolution*, Simon & Schuster, 1995.

（2）C・P・スノー『二つの文化と科学革命』松井巻之助訳、みすず書房、二〇一一年、を参照のこと。

（3）この点に関して興味ある分析が次の書物にある。Collins, H. and Pinch, T., *The Golem at Large*, Cambridge University Press, 1998. 特にその七章、一二六頁以下。なお、本書は筆者と平川秀幸との共訳で、ちくま学芸文庫の一冊『解放されたゴーレム』として二〇二〇年に新版刊行されている。

補論

科学／技術の専門家と政治・社会

―― コロナウイルス禍のなかで ――

コロナウイルス禍

二〇二〇年、COVID―19（いわゆる新型コロナウイルス）による新型肺炎の世界的流行は、政治・社会・科学の相関関係に関しても、新しい論点を造り出した。緊急事態を前にして、政治が待ったなしの政策決定を迫られる一方で、課題に関して専門家の手にある知識と経験は極めて少なく、それでも、専門家グループは、政策担当者に、選択肢の提示、その評価付けに関して、ある程度の情報を提供しなければならない、という事態に追い込まれた。例えば、社会のなかで、幾分かの揶揄《やゆ》も含めて、「八割おじさん」(1)などと呼ばれた専門家の意見が、突出して話題となるような状況も出現した。

もともと日本では、本格的な疫学研究が、育ちにくい環境に置かれてきた。疫学者と称する人々も、実験室で試験管をいじることで研究は進められるという、勘違いが結構目立ってきた。特に単年度制の予算措置が障害となって、コホート研究のような、極めて長期の基礎研究が実行し難い構造的な問題を抱えている。例えば、今回のコロナウイルス禍においても、今世紀に入って、二〇〇三年のSARS(Severe Acute Respiratory Syndrome 重症急性呼吸器症候群）、そして二〇一二年のＭＥＲＳ（Middle East Respiratory Syndrome 中東呼吸器症候群）という二つの、注目すべきエピデミックがあって、ＷＨＯを軸とする国際的専門家集団の中でも、香港出身で当時の事務局長であったチャン氏（Margaret Chan 一九四七─ ）は、二〇一三年に、コロナ型ウイルスの世界的流行の可能性に関して警告を発しているが、日本では、この警告は、二つのコロナウイルスの感染症流行の影響をほとんど受けなかったことも手伝って、重要視された形跡はなかったのである。もっともチャン事務局長が二〇〇九年の新型インフルエンザの流行に際して、ＰＨＥＩＣ（Public Health Emergency of International Concern 国際的に懸念される公衆衛生上の緊急事態）を宣言したことが、やや空振りの結果に終わって、この時のインフルエンザ・ウイルスの毒性も、感染力も、ほどほどであったという判断が広がったために、日本も含めて、多くの専門家の間で、ＷＨＯに対する信頼性に翳りが生じていたことは否めない。その端的な表れが、二〇一三年のＭＥＲＳにＷＨＯがＰＨＥＩＣを宣言しようとした際に、結局その動きは封殺されたことにも表れていたのではないか。

専門家と政治

このような点を前提にすると、今回のコロナウイルス禍において、専門家集団が政治と関わる姿勢は、幾分かおっかなびっくりのところがあって、これは世界的に見ても、共通の状況であったと思われる。それが証拠に、今回各国の政策決定者が採ったすべての選択肢は、いずれも、帯短襷長で、「これだ！」と思わせる例は皆無であった。アメリカやブラジルのように、当初専門家の見解をほとんど無視する選択肢を選んだ国もあったし、社会免疫の獲得を目指して、当初ほとんど何も対策を取らなかったように見えるスウェーデンのような例もあった。いずれも、その後現在では（二〇二〇年末）、徐々に政策の変更を余儀なくされている。

日本では、むしろ早期の学級閉鎖、やがて、時期を限って行動の自粛を社会全体に要請するという、一般常識に則った政策が採用された。それは、色々と後知恵の批判はあるが、少なくとも致命的な失敗を犯すことは免れたと評価できる措置であった。こうしたことの裏には、日本の最も強力な専門家集団として、常に政治と密着している官僚組織の存在があった、と私は考えている。それが、日本社会における、政治と専門家集団との関係を論じる際の、良くも悪くも最も顕著な特色ではないか。

専門家集団としての官僚組織

例えば、政策決定に当って、各省庁は、審議会や諮問委員会を組織するのが慣例である。委員には、その全てではないが、問題とされる主題に関する専門家が必ず何パーセントか招かれるから、彼らの意見を尊重しているように見える。しかし、実際に起こっていることは、官僚が造ったアジェンダに沿って会は進められており、出される資料もすべて官僚が提出したもの、結局は、官僚が当初目標としていた「落としどころ」(嫌な言葉だ)に誘導された形で、会の結論が出される。これが定まったパターンである。

別段この方法が全面的に悪であるわけではない。それどころか、多くの場合は、官僚組織の中でまとめられた結論は、有効であり、差し当たって、良策とされてよいものである。それはそうだろう。彼らの手には、通常の手段ではとても集めることのできないような、必要なデータが集まっており、過去の歴史的経緯についても、充分な量の情報が揃っている。そして、それを取り扱う人々は、最高学府を優秀な成績で卒業したエリートたちである。彼らは、日本社会の中で、最も安定した生活保障を得ており、突出した贅沢さえ望まなければ、退職後もほぼ安定した生涯を送ることができる。その意味で、生活の不安なく、仕事に専念できる立場にいる。そうした人材によって担われる研究が質の高いものであるのは当然である。普通、官僚組織の中で行われる様々な行為を「研究」とは呼ばない。従って彼らは「研究者」とは呼ばれないし、その自意識も希薄かもしれないが、実際上は、明確な研究活動である。ただし、そこで行われる研究は、好奇心駆動(curiosity-driven)型と使命達成(mission-oriented)型に分ければ、完全に後者である。通常、大学や研究所で研究者が携わる研究は、何ほどかは好奇心駆動型の性格を備えていて、百パーセント使命達成型のものを「研究」とは呼び難いところから、官僚組織の中の知的活動を「研究」とは見なさない伝統が生まれたとも言える。

いずれにせよ、例えばアメリカにおけるブルッキングス・インスティテューション(2)のような、海外での有力な私立の政策集団が、シンクタンクとして機能しているところを、日本では、官僚機構が担っている。それは、かつて、民間発の新たなシンクタンクとして期待された総合研究開発機構(NIRA)(3)が、今は、本来の政策提言の積極的な働きを失っている、少なくとも目覚ましい働きは乏しい、という事実によっても裏書されよう。

政治への関与を嫌う

とにかく、こうした事情にあるとき、専門家集団と政治担当者との関係は、別種専門家集団である官僚組織を間に挟んで、いささか複雑な関係が生じる。例えば、専門家集団の一部は、官僚組織と関係を結ぶことによって政治担当者と繋がることを忌避して、完全にこの三つ巴の外に立ち、ひたすらこの三つ巴で行われることを批判し、反対する、という姿勢をとる。彼らにとって、この三つ巴の中に足を踏み入れることは、「御用学者」のラベルを貼られることになるからであり、実際、彼らにとって、この三つ巴の中にいる専門家に対する最も簡単な罵倒のことばが「御用学者」というクリシェなのである。現在日本で起こっている「学術会議問題[4]」なるものの本質も、遡ればそこに行きつく。学術会議というのは、政治的に活動したい学者たちが、御用学者のラベルを貼られずに活動できる、唯一の場所として機能してきたのである。

他方、ごく一部の専門家は、政治担当者と直接的関係を持つことを辞さず、大臣に推されたり、入閣はしないまでも、政治家のブレーンとなることで、政治との距離を短縮することを望むが、大半の専門家の側では、そこまでは踏み込まない。結局は、官僚組織を通じて、政治担当者と間接的な関係を結ぶことによって、予算の獲得など、直接・間接のフリンジ・ベネフィットを期待する程度にとどまる。しかも、この場合は、自分たちの専門家としての政策的提言が、官僚組織という篩を通しているだけに、直接的な責任を免れる、という利点もある。この構造が、日本の政治空間において、責任の所在を曖昧にさせる一因になっていることは確かだろう。

非専門家集団

他方、市民レヴェルの人々、つまり普通の意味での非専門家の政治参加は、現在の日本では、間接民主主義制度が採用されているため、通常は政治を直接担う立場の人々を選ぶための選挙以外には、ほとんど関わりを持つ機会がない。この点は、市民層の漠然たる不満や苛立ちを醸成する要素の一つになっている。

もう一つ、SNSの発展は、意外な副産物を生んでいる。無論、SNS上に流れる情報のなかには、およそ相手にする必要のないようなナンセンスが多く含まれているのは事実だが、それでも、SNSを通じて、一般市民が様々な専門的な情報源に辿り着く可能性は、格段に増えている。

例えば、医師でも自分の専門外の新しい研究成果に充分な知識を持っているわけではないのは当然だが、本来専門的な診断や治療のために存在する高度医療機関ではない家庭医などでは、SNS上で自分の病状をかなりな程度突っ込んで確認し、その前提で診察を求める患者が増えていて、稀な病気では、医師の方が患者の自己診断による病名も知らない、というような事態さえ起こっている。

アメリカでは、ＡＩＤＳ患者たちの共同体（当然構成員の殆どすべては医療関係者ではない）が、自分たちの利益のために、力を尽くして最新の医療情報を集め、同時に患者の側の様々な生の姿を整理して情報化し、それらを総合した知識体を作り上げた結果、多くの臨床医は、ＡＩＤＳ患者に接した際には、この団体（例えば〈Act-Up〉という団体が最も有名である）に助言を求めるという。こうした「非専門家の専門家」を呼ぶ言葉〈lay-expert〉も存在している。因みに、ここでの〈lay〉は、本来は宗教の現場で、聖職者ではないが、そこにコミットする人のことを指すことばであった（日本語では「平信徒」とされるのが普通である）。そこから、「本職でない」の意味が生じている（カード・ゲームでは、切り札でないカードや、エースや絵札でない札を指す）。(5)

望ましい方向

このような、色々な面での裏返し状態のなかで、科学・技術の専門性と、社会を構成する一般市民との間の関係は、文字通り一筋縄ではいかないほど複雑な様相を呈しているが、解決策はあるのだろうか。

個々の研究者、とりわけ、研究成果を挙げることに一分、一秒を争っている理工系の研究者にとって、その眼の向く方向に、一般社会、あるいは非専門家社会などは、全く存在しないのも同然であろう。このことを批判するのは容易《たやす》いが、しかし、それを矯正することは至難、いや不可能である。そうだとすれば、そうした研究活動のフロントで起こっていることに、充分な知識を持ち、関心を払いながらも、一般社会と研究成果との接点に生まれてくる様々な問題を考慮できる「専門家」、つまり専門家と非専門家との間の橋渡しのできる専門家、という存在が、問題解決の一つの有力な働き手になることが期待される。

無論、このような専門家の育成が困難な技であることは確かだが、日本の幾つかの大学でも試みはあり、僅かずつだが前進している。十数年前、文部科学省の科学技術振興調整費を基礎に、北海道大学、早稲田大学、東京大学教養学部の三つの大学の大学院課程に、それぞれ特色のあるプログラムが設けられた。一種の大学院内大学院と言った趣で、当該大学の大学院に在籍するすべての院生に、参加の資格がある。つまり自分の専門を持ちながら、そこから一時外れて、そのプログラムに参加する。そこでは、他の領域の専門家との間のコミュニケーション、通常の市民との間のコミュニケーションの技法を学び、また社会全体のなかでの専門家の役割などについても、言わば「メタ」の視点で感覚と知見とを研ぎ澄ませる機会が与えられる。振興調整費の性格上、公的な資金援助は五年が限度で、その後は、当該大学が、自前でプログラムの維持・発展を目指す義務があるが、現在、すでに何人かの優れた才能が、開花しつつある。そこから育った人々が、社会の中で有用性を認められ、彼らの専門性を発揮できる時代が、早く訪れることを期待しておきたい。

（1）西浦博（一九七七－　）京都大学大学院医学研究科教授のこと。二〇一九年末から始まった新型コロナウイルスの感染症流行に際して、疫学の数理モデルを使って推定した結果、人－人の接触機会を八割削減すれば、感染拡大を抑え込むことができる、と力説された。インターネット上でも、この説が話題化し、「八割おじさん」という異名で呼ばれる習慣ができた。実際の命名は、同僚の医師によるとされる。

（2）Brookings Institution　アメリカの老舗、代表的な政策提言型シンクタンク。二〇世紀初頭に活動を開始。ややリベラルな提言が多く、保守的な大統領府からは「敵」呼ばわりされたこともある。最近はテロ対策などに関する提言も多い。

（3）一九七三年総合研究開発機構法が公布されたことに基づいて一九七四年に発足した、日本で最初の本格的シンクタンク。最初の会長は木川田一隆、理事長は向坂正男、研究評議会議長に東畑精一というメンバー。民間、官界、経済界、地方自治体など、あらゆる分野を糾合している。とりわけ研究評議会の代表は、その後も、大来佐武郎、梅棹忠夫、塩野谷祐一という、選りすぐった知識人が務め、当初は税制改革案、製造物責任に関する法的対応など重要な提言が次々に公表された。

(4) 二〇二〇年九月、学術会議会員の新規任命に当って、交代したばかりの菅内閣が、慣例に逆らって、会議側が提出した候補者リストの中から、六名の候補者の任命を見送ったことに発する問題。当初は学問・研究の自由の侵害である、と声高に叫ばれたが、要は慣例を破った、という手続き上の問題こそが、議論されるべき。

(5) AIDS coalition to unleash power の頭文字を綴った略語＝エイズ患者の、力を解放するための連合組織。アメリカで、一九八〇年代初め、続出するエイズ患者は、男性同性愛との関係と密接に関わるための社会的な差別、治療法の見込みが立たないための絶望状態などから、自棄的な立場に立たされた。こうした患者たちが集まって作った組織。当初はかなり過激な行動に走り、初めて治療効果が期待される物質AZTの治験が始まった際には、対象群(偽薬を与えられるグループ)に、メキシコから密輸したAZTを無償で配って、治験を台無しにする、などという事件も起こした。しかし一方で、彼らは、インターネット上などで、この病気に関するあらゆる情報を徹底して集め、自分たちの生活上の細かな実情なども加えた、エイズ総覧のような知識体を造り出した。そのような知識を持たない実際の臨床医たちは、この知識体から様々な助言を引き出すに至った。こうした「本職でない」(lay)、しかし専門的な知識を持つ人々を指す〈lay-experts〉という言葉も生まれた。

岩波現代文庫版へのあとがき

旧版が世に出て二〇年近くが経った。旧版は、その「まえがき」にもあるように、「岩波講座　科学／技術と人間」（全一一巻・別巻一、一九九九年）の編集者の一人として参加し、様々な主題の巻に自身文章を載せる機会を得たことから、そうした文章を集めて、一つの書物を編むことを書肆側が考慮されたことで生まれた書物である。従って、一つの書物を最初から構想して書き下ろしたものとは違い、記述に粗密の差異はあっても、重なりが生じる欠点も見えるし、二〇年という歳月は、個々の場面では、変わってしまったところもないではないが、全体として、今回改めて読み直して、自分の基本的な立場は動いていないと判断した。それが自分の進歩・成長の無さ、あるいは年寄の傲慢でなければ、と願うばかりだが、それゆえ、今回、新しく陽の目を見せていただける機会を書肆が造って下さったことに感謝しつつ、その申し出を受けることにした。

旧版の最後の章「科学／技術と教育」は、書下ろしだったが、今回も版を改めるに当たって、短い新稿を加え、さらに旧版で、変化した事実上の幾つかの点では、改訂を加えたが、上に述べたこともあって、「改訂新版」とは呼び難い。その点、旧版の読者にはご理解をいただきたいと念じている。

科学・技術の先行きは、ＡＩや遺伝子工学など、瞠目すべき結果を人類は手にしつつある一方で、そうした先端的な成果を社会がどのように取り入れるか、という点では、常に疑念が残って、諸手を挙げて進もうという方向に影がさす。その上、二〇一九年末に始まった新型コロナウイルスによるパンデミックでは、一年が経過した段階でも、判っていることは多くはなく、科学・技術に根差すはずの医療的対応にも目覚ましい決め手がないまま、二〇二〇年も暮れようとしている。

二〇年前の講座名「科学／技術と人間」というテーマを、もう一度根本的に考えるべき時期であるかもしれない。本書の再生を実現して下さった岩波書店、就中実務でご苦労をおかけした現代文庫編集部の中西沢子さんに深い感謝を捧げる。

二〇二〇年師走

村上陽一郎

初　出

Ⅰ　ノーベル賞の功罪　『専門家集団の思考と行動』（岩波講座　科学／技術と人間・第二巻）、一九九九年、所収。

Ⅱ　科学研究の様態の変化　『現代社会のなかの科学／技術』（同・第三巻）、同、所収。

Ⅲ　新しい科学像の一つの象徴　『新しい科学／技術を拓いたひとびと』（同・別巻）、同、所収。原題は「V・ブッシュ――科学・終わり無きフロンティア」

Ⅳ　西欧科学／技術と東洋文化　『21世紀科学／技術への展望』（同・第一一巻）、同、所収。

Ⅴ　科学／技術と生活空間　『思想としての科学／技術』（同・第九巻）、同、所収。

Ⅵ　科学／技術と教育　旧版書き下ろし。

補論　科学／技術の専門家と政治・社会――コロナウイルス禍のなかで　本書書き下ろし

本書は二〇〇一年四月、岩波書店より刊行された。岩波現代文庫版刊行にあたり、「補論　科学／技術の専門家と政治・社会――コロナウイルス禍のなかで」を新たに付した。

文化としての科学／技術

2021年3月12日　第1刷発行

著　者　村上陽一郎《むらかみよういちろう》

発行者　岡本　厚

発行所　株式会社　岩波書店
〒101-8002 東京都千代田区一ツ橋 2-5-5

案内 03-5210-4000　営業部 03-5210-4111
https://www.iwanami.co.jp/

印刷・精興社　製本・中永製本

ISBN 978-4-00-600431-6　Printed in Japan

岩波現代文庫創刊二〇年に際して

二一世紀が始まってからすでに二〇年が経とうとしています。この間のグローバル化の急激な進行は世界のあり方を大きく変えました。世界規模で経済や情報の結びつきが強まるとともに、国境を越えた人の移動は日常の光景となり、今やどこに住んでいても、私たちの暮らしは世界中の様々な出来事と無関係ではいられません。しかし、グローバル化の中で否応なくもたらされる「他者」との出会いや交流は、新たな文化や価値観だけではなく、摩擦や衝突、そしてしばしば憎悪までをも生み出しています。グローバル化にともなう副作用は、その恩恵を遥かにこえていると言わざるを得ません。

今私たちに求められているのは、国内、国外にかかわらず、異なる歴史や経験、文化を持つ「他者」と向き合い、よりよい関係を結び直してゆくための想像力、構想力ではないでしょうか。

新世紀の到来を目前にした二〇〇〇年一月に創刊された岩波現代文庫は、この二〇年を通して、哲学や歴史、経済、自然科学から、小説やエッセイ、ルポルタージュにいたるまで幅広いジャンルの書目を刊行してきました。一〇〇〇点を超える書目には、人類が直面してきた様々な課題と、試行錯誤の営みが刻まれています。読書を通した過去の「他者」との出会いから得られる知識や経験は、私たちがよりよい社会を作り上げてゆくために大きな示唆を与えてくれるはずです。

一冊の本が世界を変える大きな力を持つことを信じ、岩波現代文庫はこれからもさらなるラインナップの充実をめざしてゆきます。

（二〇二〇年一月）

岩波現代文庫［学術］

G430
被差別部落認識の歴史
―異化と同化の間―
黒川みどり

差別する側、差別を受ける側の双方は部落差別をどのように認識してきたのか――明治から現代に至る軌跡をたどった初めての通史。

G431
文化としての科学／技術
村上陽一郎

近現代に大きく変貌した科学／技術。その質的な変遷を科学史の泰斗がわかりやすく解説、望ましい科学研究や教育のあり方を提言する。

G432
方法としての史学史
―歴史論集1―
成田龍一

歴史学は「なにを」「いかに」論じてきたのか。史学史的な視点から、歴史学のアイデンティティを確認し、可能性を問い直す。〈解説〉戸邉秀明

2021.3